MARC-ANDRÉ POISSANT

La vie nouvelle

À mon cher oncle Louis qui ne change pas avec les ans et à Michèle toujours souriante et charmante

LES ÉDITIONS MERLIN

Du même auteur chez le même éditeur

Mariage à Hollywood
Le Nouvel état amoureux (L'Ouverture du cœur)
Le Millionnaire

© Copyright 1994 Les Editions Merlin
Une division de l'Agence littéraire d'Amérique
50, rue St-Paul Ouest, bureau 100
Montréal (Québec) H2Y 1Y8
Téléphone: (514) 847-1953
Télécopieur: (514) 847-1647

Tous droits de traduction et d'adaptation réservés; toute reproduction d'un extrait quelconque de ce livre par quelque procédé que ce soit, notamment par photocopie ou microfilm, est strictement interdite sans autorisation de l'éditeur.

Conception de la couverture:
Jean-Luc Trudel

Composition et montage:
Publinnovation enr.

Correction d'épreuves:
Brigitte Beaudry
Stéphane Truchon

Distribution exclusive:
Messageries ADP
955, rue Amherst
Montréal (Québec) H2L 3K4

Dépôt légal: 1er trimestre 1994

ISBN: 2-921378-36-1

Note de l'auteur

Le choix d'un titre n'est pas tâche aisée. Au bout de longues recherches stériles — et de consultations contradictoires —, le titre qui me revenait toujours à l'esprit était la traduction d'un titre fort ancien, d'ailleurs célèbre et qui, nombre de lecteurs l'auront déjà deviné, est né il y a plusieurs siècles sous la plume de Dante: *La Vita nuova*.

Je m'accuse à l'avance de ce crime de "lèse-culture" dans l'espoir de rencontrer la bienveillance des lecteurs — si j'en ai — et la clémence de la critique qui à ce jour a constamment exalté mon ardeur littéraire par le noble silence dont elle a su entourer mon œuvre.

Remerciements

Tous mes remerciements à mes conseillers éclairés: Jean-Pierre Le Grand, Henri Tranquille, Manon Parent, Isabelle Poissant, Brigitte Beaudry, Elaine Caire, Pierre Bellehumeur, Christian Godefroy, Cathy Miller, Gary Rosenberg, Maurice Brunelle et Carlo Tarini ainsi qu'à ceux qui m'ont inspiré secrètement — et parfois à leur insu — cette histoire. Sans eux, ce livre ne serait pas ce qu'il est et j'aurais pu partir en vacances trois mois plus tôt...

A Nityananda

CHAPITRE PREMIER

Où le jeune homme se sent étranger à son travail

Lorsqu'il se réveilla, dans son modeste appartement de Brooklyn, où régnait un désordre que n'eût pas renié Beethoven, John Blake, un jeune homme de trente-deux ans, de petite taille et d'allure habituellement dynamique, s'aperçut qu'il était neuf heures et demie, et que, par conséquent, il était déjà passablement en retard. Son réveil n'avait pas fonctionné, ou encore il avait dû oublier de le régler.

Il n'eut pas le temps de prendre une douche, s'aspergea simplement le visage d'eau froide, se donna trois coups de peigne, avala un comprimé de vitamine C, puis convaincu qu'il en aurait vraiment besoin pour passer à travers la dernière journée de cette trop longue semaine de septembre, un deuxième et enfin un troisième — pour la chance.

Il s'habilla à toute vitesse, remettant les mêmes vêtements que la veille, retirés dans un état de lassitude extrême : sa chemise et sa cravate étaient restées ensemble et il les passa comme un pull.

Sa vieille Mustang 65 décapotable, qu'il entretenait religieusement, faillit lui faire faux bond mais démarra enfin après quatre ou cinq essais infructueux. Il y a de ces journées où on souhaiterait ne s'être jamais réveillé...

A l'agence Gladstone, qui occupait un immeuble ancien complètement rénové de Madison Avenue, et où il travaillait depuis quelques années comme rédacteur, sa secrétaire, Louise, une sémillante rouquine aux yeux bleus, l'accueillit avec une mine consternée.

— Où étiez-vous? Gladstone est furieux. Il vous cherche partout. La réunion commence dans cinq minutes et il tenait absolument à vous voir avant, avec Gate.

— Mon réveil... se contenta-t-il de dire.

Il disparut dans son bureau, et se mit à fouiller dans les monceaux de dossiers empilés sur sa crédence. Sa secrétaire vint le rejoindre.

— Le dossier Cooper? Où est-il? demanda John qui lui tournait le dos.

— Ici, dit Louise avec un sourire calme en lui tendant le dossier que, dans son efficacité habituelle, elle avait évidemment pris soin de préparer.

— Merci, dit-il en prenant le dossier, un grand carton où se retrouvait, outre le logo de la société Cooper et une photo du soulier à promouvoir, une mise en scène figurant un homme et une femme. Et je prendrais un café, s'il vous plaît, Louise, dit-il en allumant une cigarette.

Les Souliers Cooper leur avait confié la publicité d'un nouveau soulier pour hommes dont le talon dissimulé grandissait de près de trois pouces. L'affiche qui avait été mise au point à partir d'une idée de John représentait une femme très élégante — et très grande — qui, sur un trottoir de Fifth Avenue, faisait un clin d'oeil à un homme «grandi» par ses souliers Cooper.

Seul ennui, les textes de l'affiche, qui étaient dus pour la réunion du matin, et qui relevaient de la responsabilité de John, n'étaient pas encore écrits. La veille — peut-être parce qu'inconsciemment il voulait faire quelque chose de suicidaire: mais peut-on vraiment se suicider lorsqu'on est déjà «mort» intérieurement? —, John n'avait rien trouvé. Et pourtant, pendant des années, il avait été considéré comme l'un des rédacteurs les plus brillants de l'agence.

Il tirait nerveusement sur sa cigarette, appelant l'inspiration qui, en général, ne lui faisait jamais défaut. Mais c'était le vide, comme s'il avait épuisé depuis longtemps tout ce qui lui restait de créativité, d'imagination. Il consulta les notes qu'il avait griffonnées au cours de la semaine, des pages et des pages de texte, de titres, de dialogues, le tout d'une écriture vraiment élégante, comme de la calligraphie. Rien ne l'accrochait. De fines gouttes de sueur perlèrent sur son front. Il fallait vraiment qu'il trouve quelque chose. De très bon. Et vite. Très vite.

Lorsque sa secrétaire revint, à peine une minute plus tard, avec dans une main une tasse de café brûlant, bien noir, comme l'aimait John, et, dans l'autre, chose surprenante, un rasoir électrique, John n'avait toujours rien trouvé. Il prit distraitement la tasse de café, sans remarquer le rasoir, mais sa secrétaire resta debout devant lui, insistante.

John cessa de fixer l'affiche, s'étonnant de sentir la présence de sa secrétaire, et vit le rasoir. Il en laissait toujours un au bureau car sa barbe poussait rapidement et certains rendez-vous tardifs l'obligeaient à procéder à un second rasage. Il frotta de sa main libre une joue rugueuse et comprit que, dans sa hâte matinale, il avait complètement négligé cet aspect de sa toilette. Ses lèvres se plissèrent en un sourire coupable, auquel fit écho celui, amusé, de sa secrétaire.

Il prit le petit Braun portatif, mais il s'en était à peine donné trois coups qu'il s'empressa de le dissimuler dans un tiroir resté ouvert de son pupitre: son patron, Bill Gladstone, suivi de James Gate, venait d'entrer en trombe. Homme très petit, presque complètement chauve, Gladstone dégageait une énergie peu commune que venait confirmer l'éclat farouche de ses minuscules yeux bleus.

— Où étais-tu, John? Te rends-tu compte de l'heure qu'il est? ajouta-t-il en tapant sur sa montre-bracelet, une dispendieuse Rolex. Tu joues avec ta chance, mon garçon. C'est un compte de trois cent mille dollars. L'agence n'a pas les moyens de le perdre. Toi non plus, d'ailleurs, ajouta-t-il comme une menace à peine voilée. Montre-moi ce que tu as trouvé.

John n'eut pas le temps de rien dire car son patron se pencha sur l'affiche et laissa tomber, à la fois surpris et alarmé:

— Où sont mes textes? Je ne comprends pas. La réunion commence dans deux minutes.

— Je ne suis pas sûr encore... dit John en montrant ses notes.

Inquiet, son patron regarda ses notes, des dizaines et des dizaines de pages noircies, et hurla:

— Qu'est-ce que tu veux qu'on fasse avec ça?

James Gate, un homme d'un physique remarquable, de style très californien, et qui dépassait John d'une tête, s'approcha à son tour et constata que l'affiche ne comportait pas de texte. Comme c'était lui qui faisait les présentations aux clients, il blêmit.

— Je ne sais pas ce qui se passe avec toi depuis quelques semaines, John, mais tu n'es plus le même.

«Depuis quelques semaines», pensa John. Gate aurait dû dire «depuis quelques mois», depuis un an à la vérité, peut-être plus. Et il n'aurait pas dû dire qu'il n'était plus le même, mais qu'il n'était plus là du tout. Qu'il était ailleurs. Dans ses pensées. Dans ses rêves. Et qu'il avait follement envie de faire autre chose. De monter sa propre boîte de publicité. Ou d'écrire un roman, ou un scénario de film. Surtout, d'être ailleurs.

De partir, d'oublier le cauchemar quotidien qu'il vivait. Parce que depuis quelque temps, il pressentait, effrayé, que s'il attendait trop, il serait trop tard. Il n'aurait plus la force de rêver — comme sans doute plusieurs de ses collègues «morts» avant lui sur le champ de bataille urbain —, il n'aurait plus le courage de tout quitter, pire encore, il en viendrait à un point où il ne se souviendrait même plus qu'un jour il avait eu d'autres rêves, d'autres ambitions.

— Alors, John, trouve quelque chose, sors-nous de ce merdier! hurla son patron.

— Qu'est-ce qu'on va faire? demanda Gate.

— Tu n'as pas d'idées, toi? demanda son patron.

Gate n'était pas un homme d'idées, et la pensée de devoir faire sa présentation avec une affiche incomplète le terrorisait littéralement.

— Je ne sais pas, on pourrait dire...

John n'écoutait pas les deux hommes. Ses vieux réflexes de rédacteur avaient repris le dessus, et il avait enfin trouvé ce qu'il cherchait. De sa très belle écriture, il nota sur l'affiche:

«*Seulement lui sait qu'il est plus petit qu'elle.*
Lorsqu'elle s'en rendra compte, il sera déjà trop tard...
Ils seront tous les deux nu-pieds...»

Gladstone lut le texte et éclata de rire:

— Excellent! dit-il, excellent!

Il prisait particulièrement les textes qui mélangeaient humour et sensualité discrète, et, dans le passé, John avait eu plus d'une occasion de satisfaire ce goût.

Gate le lut aussi, et émit un rire plus modéré, presque poli. Il avait toujours envié l'esprit brillant de John, mais se consolait à l'idée qu'il gagnait deux fois plus que lui, et parvenait généralement à s'approprier le succès de la plupart des campagnes qui marchaient.

— C'est une variante du fameux «Seul son coiffeur le sait», laissa-t-il tomber en véritable rabat-joie.

— *Who cares!* riposta son patron. Tu as un concept gagnant entre les mains, tu vas vendre ça en moins de deux. Evidemment, on leur ajoutera la typo pour la version finale.

— Espérons seulement que le client va aimer lui aussi, dit Gate, encore sceptique.

John ne disait rien, simplement soulagé d'avoir pu pondre *in extremis* un texte qui avait emballé Gladstone, un peu déçu de lui cependant, parce que, au fond, il pouvait faire le bonheur — ou le malheur —, de son patron simplement en accouchant, sur le coin de la table, de textes qu'il méprisait lui-même ou en tout cas qu'il ne trouvait pas géniaux.

— Allons-y, dit Gladstone en prenant l'affiche. Les clients sont déjà arrivés.

Il marqua une pause puis avant de sortir du bureau de John:
— Eh John, rase-toi. Tu as une mine affreuse.

John se rasa approximativement tout en suivant son patron et Gate jusqu'à la salle de conférence, où les trois représentants de la société Cooper, en costume sombre, sirotaient un café, en bavardant avec une ravissante secrétaire de l'agence, engagée précisément à cause de sa beauté et de son sex-appeal.

Les poignées de mains échangées, les présentations faites, Gate, qui avait posé sur un grand chevalet les cartons préparés par John, dévoila le concept publicitaire que l'agence avait mis au point. Il n'avait pas son meilleur pour débiter des formules creuses qui faisaient généralement mouche, s'appropriant avec une facilité déconcertante les idées des autres, la plupart du temps de John. Ce dernier buvait un café, alors que montait en lui l'agacement qui l'envahissait presque invariablement aux réunions.

Gate se tira bien d'affaire, ou pour mieux dire, le travail conçu par John plut énormément car le patron, George Cooper, un homme lui-même très petit et qui adorait les grandes femmes, éclata d'un rire sonore lorsque, Gate ayant découvert l'affiche, lut le texte humoristique qui l'accompagnait.

— Et alors? demanda Gladstone aux clients lorsque Gate eut terminé son exposé.

Les trois hommes se consultèrent quelques secondes à voix basse, ce qui créa tout de même un petit suspense, puis George Cooper déclara:

— Nous sommes intéressés. Nous allons de l'avant.

— Enchanté, dit Gladstone. Et bienvenue à l'agence Gladstone, ajouta-t-il en leur tendant deux copies du contrat de service qu'ils signèrent sur place.

Gladstone récupéra la copie de l'agence, les clients se levèrent, et après un échange de poignées de main, quittèrent les lieux avec la secrétaire qui les avait conduits jusqu'à la salle de conférences. Ils venaient à peine de sortir, que Gladstone se tourna avec un large sourire vers Gate, et lui frappa la main très haut au-dessus de la tête, en cette pratique du *high five* popularisée par les sportifs.

— Une autre dans le panier, mon cher vice-président.

— Vice-président? demanda avec surprise Gate, faisant mine de ne pas comprendre.

— Oui, à partir d'aujourd'hui, tu es vice-président.

— Je suis honoré, je vous remercie.

Un autre que John — et John lui-même à une autre époque — eût sans doute été frustré, ou tout au moins froissé, de voir que Gate récoltait tout le mérite d'un succès dont il était le principal artisan. Mais il était depuis longtemps insensible à ce genre de révolte intérieure, même si l'injustice était flagrante. Et c'est avec indifférence qu'il regarda sortir Gate qui avait précédé son patron, enfreignant la politesse hiérarchique d'une manière qui ne faisait que trahir la très haute idée qu'il avait de lui-même.

Avant de sortir, Gladstone se tourna vers John:

— Ah oui, John, je voulais te dire, bravo pour les modifications. Tu vois que j'avais raison de te les demander. C'était super! Vraiment.

— Merci, se contenta de dire John.

Il allait retrouver Gate qui l'attendait dans le corridor, savourant sa promotion mais il se tourna à nouveau vers John et dit:

— Ah oui! n'oublie pas notre présentation de lundi matin avec les Russes. C'est une grosse affaire. Un compte dans les sept chiffres. Je ne sais pas où ils ont pris leur argent, ces Russes-là, mais j'ai l'impression qu'ils sont moins communistes que les autres, ajouta-t-il juste avant d'éclater bruyamment de rire, visiblement fier de sa grosse blague. Arrive-moi avec quelque chose de super, hein! Tu n'avais rien de planifié pour le week-end, j'espère?

— Non, rien, dit John.

Chaque fois il lui faisait le coup. Comme il n'était pas marié et n'avait pas d'obligations familiales, son patron prenait pour acquis qu'il n'avait rien de mieux à faire le week-end — comme tous les soirs de la semaine d'ailleurs —, que de se taper avec un dévouement sans limite de longues heures supplémentaires, comme si la publicité était son seul passe-temps.

Il eut envie de le surprendre en lui remettant sur-le-champ sa démission. Mais il ne pouvait pas. Il n'avait rien en vue, et pas un traître sou de côté. A la vérité, il était criblé de dettes, et ne pouvait même plus, depuis des mois, utiliser ses cartes de crédit surchargées, car souffrant de plus en plus de sa solitude de célibataire, il mangeait tous les soirs au restaurant où d'ailleurs il se montrait d'une générosité peu commune avec des amis qui ne lui rendaient pas toujours la pareille.

Ce soir-là, en quittant le bureau, la première chose que fit John — dans sa hâte matinale il avait complètement oublié — fut de vérifier dans le journal s'il n'avait pas gagné au loto. Voyant que ce n'était pas le cas, il jeta ses billets et en acheta deux autres, se concentrant de son mieux comme s'il pouvait influencer le hasard. Puis il rentra chez lui, le volumineux dossier des Russes sous le bras, déprimé à la perspective de devoir y consacrer le week-end.

Depuis quelques mois d'ailleurs il souffrait littéralement du «syndrome du week-end». La semaine, débordé de travail, il n'avait pas à penser qu'il était toujours célibataire à trente-deux ans, n'avait ni femme ni enfants, et pour ainsi dire pas de vie sociale, exception faite de l'agence.

Mais le week-end, il se retrouvait face à lui-même, et le vide de sa vie l'angoissait. Le sentiment — fondé ou pas — de mener une vie anormale, le tenaillait. Ce dont il avait besoin — vraiment besoin —, c'était d'un changement profond.

Trois nuits d'ailleurs, il s'était réveillé les larmes aux yeux, et les trois fois il était parvenu à se rappeler ce qui avait causé son chagrin. Il avait rêvé à un magnifique geai bleu — volatile préféré de son enfance — amputé de ses ailes et il avait compris immédiatement que cet oiseau sans ailes, c'était lui.

Quant à sa solitude, non seulement la trouvait-il pénible, mais il se l'expliquait mal. Pourtant, véritable romantique malgré des déceptions, il croyait encore en l'amour. Peut-être se montrait-il trop exigeant et ratait-il des opportunités, des *bons partis* comme disait son père, parce qu'il ne laissait pas la chance à certaines femmes qui pourtant s'intéressaient à lui, et elles étaient assez nombreuses.

Mais bizarrement, il ne semblait attirer que des femmes qui le laissaient indifférent. Et en revanche, il n'était attiré que par celles à qui il ne faisait aucun effet. Comme si les dieux qui président à l'amour s'amusaient à le contrarier systématiquement...

Chose certaine, il préférait attendre de rencontrer la *bonne* personne plutôt que de nouer des liaisons «approximatives» — et forcément provisoires — qui laissaient souvent des cicatrices, sans compter qu'elles n'étaient bien souvent qu'une perte de temps. A la vérité, il commençait à être las de chercher cette femme — existait-elle au moins? — avec qui il voulait partager le reste de sa vie. Il lui semblait qu'il avait passé trop d'heures, usé trop d'espoirs à cette recherche.

Pourtant, comme un fumeur convaincu de cesser de fumer qui s'allume tout de même une cigarette par habitude, John, déprimé à l'idée de passer un vendredi soir seul dans son appartement, se prépara à aller prendre un verre au *Shed Café,* bar à la mode de Soho, composant de son mieux, parmi ses vêtements défraîchis, la tenue du parfait célibataire.

Avant de sortir, il vérifia sa tenue dans le miroir du salon, fut plus ou moins satisfait du résultat, et se demanda si c'était sa tête ou sa petite taille qui était responsable de ses insuccès. Il se dégonfla. Il ne rencontrerait personne, une fois de plus. De toute manière, il était fauché et il avait du travail par-dessus la tête avec ce dossier des Russes.

Et puis, il ne pouvait pas continuer à mener la vie qu'il menait depuis des années. Il lui fallait d'abord régler ses problèmes d'argent. Comment? Qui pouvait bien l'aider? Certainement pas son père, dont le petit bistrot lui rapportait tout juste de quoi vivre. Alors qui?

Il se rappela alors l'existence d'un oncle fortuné, Charles, qu'il ne fréquentait pas vraiment et ne voyait qu'une fois par année, à Noël, ou au salon funéraire — dernier refuge des réunions de famille modernes de New York. Il résolut de lui payer une petite visite impromptue. Il pourrait lui demander conseil, ou mieux encore de l'argent, ce qui pourrait l'aider à quitter son emploi et à démarrer sa propre boîte, rêve qu'il caressait depuis longtemps.

Son oncle l'accueillit très chaleureusement mais refusa de lui donner ou même de lui prêter de l'argent — on ne prête qu'aux riches. A la place, il lui suggéra d'aller rencontrer un vieux millionnaire excentrique, qui vivait à Long Island, et qui l'avait aidé à ses débuts. Il lui donna même une lettre de recommandation.

CHAPITRE 2

Où le jeune homme rencontre un vieux jardinier [1]

Le lendemain matin, vers dix heures, John arrivait à la grille imposante de la demeure du millionnaire, une immense construction de style Tudor. Un gardien lui demanda s'il avait rendez-vous. En guise de réponse, il lui tendit la lettre de recommandation que lui avait remise son oncle. Le gardien lui ouvrit la barrière qu'il franchit lentement au volant de sa *Mustang*, à laquelle des cirages hebdomadaires conféraient un lustre incomparable qui faisait l'envie des collectionneurs.

Il stationna devant la porte, monta avec timidité les trente marches du grand escalier que semblaient garder deux lions de pierre à l'allure altière, et sonna à la porte. Il n'eut pas à attendre longtemps avant qu'Henry, un vieux valet vêtu d'un uniforme impeccable lui ouvrît, à qui il confia l'objet de sa visite.

Le valet l'informa que son maître n'était pas disponible en ce moment et lui proposa d'aller l'attendre dans le jardin, jusqu'où il l'escorta poliment. John le remercia et s'avança dans ce qui était une magnifique roseraie. Il aperçut alors un

(1) Le lecteur pourra retrouver le récit détaillé de cette rencontre dans le livre: *Le Millionnaire.*

vieux jardinier, au moins septuagénaire, penché sur un rosier qu'il taillait, le visage protégé du soleil par un large chapeau de paille jaune.

John s'avança et le jardinier se redressa, interrompant son travail. Il sourit et John aperçut ses yeux, des yeux bleus, très lumineux.

— Que faites-vous ici? demanda l'homme d'une voix mélodieuse et vaguement rieuse.

— Je suis venu rencontrer le millionnaire instantané.

— Dans quel but, si je peux me permettre la question...

— Eh bien, je voudrais tout simplement lui demander conseil...

— Je vois...

Le jardinier se remit à tailler ses rosiers, laissant John en plan, mais il s'arrêta presque aussitôt pour dire:

— Au fait, vous n'auriez pas dix dollars à me prêter?

— Dix dollars? C'est... dit John, en fouillant dans ses poches et en tirant les petites coupures qui lui restaient, une quinzaine de dollars: il n'était pas encore passé à la banque pour y déposer son chèque de paie et il était fauché — comme d'habitude.

— C'est que... C'est à peu près tout ce qui me reste...

— C'est parfait, c'est tout ce dont j'ai besoin, dit le jardinier avec un sourire triomphant.

Et il s'avança, prit le billet des mains de John, interloqué, et le fourra dans sa poche.

— Que sont dix dollars, de toute manière? Qui sait, demain vous serez peut-être millionnaire.

John n'osa pas protester. Il n'était qu'un visiteur dans ce prestigieux domaine et il ne voulait surtout pas commettre d'impair. Il ne put s'empêcher de se passer la réflexion que sa visite, qui devait être enrichissante, commençait mal puisqu'elle venait déjà de lui coûter dix dollars. Décidément, il n'était pas doué avec l'argent!

A ce moment, Henry, le vieux valet, arriva et demanda respectueusement au jardinier:

— Monsieur, c'est un peu délicat. Un des cuisiniers nous quitte aujourd'hui, et il tient absolument à ce que nous lui réglions comptant tout ce que nous lui devons. Et... il manque dix dollars.

Le jardinier plongea la main dans sa poche et, à la grande surprise de John, en ressortit une énorme liasse de billets, toutes des grosses coupures de cent et de mille. Un sourire ironique aux lèvres, le vieux jardinier prit le billet de dix dollars qu'il venait d'emprunter à John et le remit au valet qui le remercia et s'inclina respectueusement avant de tourner les talons.

John était indigné. Il se sentait floué.

— Pourquoi m'avez-vous demandé dix dollars? Vous n'en aviez pas besoin.

— Mais oui, protesta le jardinier. Regardez, dit-il en ouvrant avec dextérité sa liasse de billets comme un éventail. Je n'ai aucun billet de dix dollars. Je n'allais tout de même pas lui donner un billet de cent ou de mille! Dans les vingt-cinq mille dollars que je garde toujours sur moi comme argent de poche, je ne traîne jamais de petites coupures.

On ne sait jamais à qui on a affaire. Cette maxime effleura l'esprit de John dans lequel la lumière avait jailli: le domestique d'une politesse extrême, cet argent de poche considérable...

— Vous êtes le millionnaire instantané, n'est-ce pas?

— C'est ce qu'on dit.

— Je m'appelle John. John Blake, dit le jeune homme en tendant la main au millionnaire qui la serra après avoir remis la liasse dans ses poches.

— Je suis content que tu sois venu, John, le tutoya-t-il pour la première fois, sur un ton sibyllin, comme s'il avait deviné ou prévu sa visite.

John ne le questionna pas à ce sujet, il n'en aurait d'ailleurs pas eu le temps car l'excentrique millionnaire lui demanda aussitôt:

— Alors que veux-tu de moi?

— Mon oncle m'a dit que vous pouviez m'aider à réaliser mes rêves, à avoir du succès et à faire fortune.

— Je vois. Mais dis-moi, comment se fait-il que tu n'aies pas encore fait fortune? T'es-tu déjà sérieusement posé la question?

— Non, pas vraiment.

— C'est peut-être la première chose que tu devrais faire. Vas-y, réfléchis à voix haute devant moi. Je vais suivre ton raisonnement.

— Euh... bafouilla John, pris au dépourvu.

— Je vois, dit le millionnaire. Tu n'es pas habitué à réfléchir à haute voix. Ou peut-être même à réfléchir tout court. Bon, est-ce que je peux t'inviter à manger? Cela va te donner des forces pour penser.

John accepta avec soulagement et les deux hommes se retrouvèrent bientôt assis dans une immense salle à manger, à une table qui devait pouvoir accueillir une trentaine d'invités. La salle à manger était bordée de part et d'autre de très hautes cheminées de pierre, éclairées par les flammes d'un feu. John n'avait jamais vu une pareille salle à manger ni une table aussi luxueuse.

Tout en dégustant un steak de saumon accompagné d'une salade, le millionnaire questionna John:

— Aimes-tu ce que tu fais?

— Oui. Enfin oui et non. Je travaille dans une agence de publicité. Mais j'aimerais avoir ma propre boîte.

— Crois-tu vraiment, profondément que tu peux réussir dans ce domaine?

— Oui.

— Alors quel est le problème?

— Le problème c'est que je n'ai pas d'argent pour démarrer.

— Moi non plus je n'avais pas d'argent lorsque j'ai débuté, dit le vieillard en jetant un regard circulaire autour de lui, et, ma foi, je ne me suis pas trop mal débrouillé.

— Mais sans argent, je ne vois vraiment pas comment...

— Ton véritable problème c'est la peur. Tu n'as pas vraiment confiance en toi. Si tu avais la foi, la foi véritable, tu foncerais. Sais-tu que tout ce qu'un homme peut concevoir, que tout ce en quoi il peut croire, il peut aussi le réaliser?

John n'eut pas le temps de répondre car Henry arriva avec un téléphone et annonça:

— Monsieur, le Président est en ligne.

— Dis-lui que je suis occupé, répliqua le millionnaire. Je rappellerai.

John se demanda s'il s'agissait d'une plaisanterie. Le valet en tout cas avait froncé les sourcils, ayant la tâche embarrassante d'annoncer à la secrétaire du Président que son maître n'était pas disponible. Il se retira.

— Une des choses que tu apprendras avec les puissants de ce monde: fais-les attendre. Ne sois pas toujours disponible.

— Vous devriez en parler à mon patron. Il devient hystérique si je le fais attendre cinq minutes.

Le millionnaire éclata de rire. Il tira une pièce de monnaie de sa poche et, tout en jouant négligemment à pile ou face, il demanda à John:

— Dis-moi, combien serais-tu prêt à payer pour connaître le secret de la réussite?

— Je n'ai pas un sou.

— Si tu avais de l'argent...

— Je ne sais pas, cent dollars...

Le millionnaire éclata de rire, suivant dans les airs la haute trajectoire de sa pièce de monnaie.

— Cent dollars! Mon Dieu, nous avons du travail à faire... Avance un autre chiffre...

— Mille dollars...

Le vieil homme éclata à nouveau de rire.

— Si tu croyais vraiment qu'il existe un secret, tu m'offrirais beaucoup plus. Allez, fais une autre tentative. Si tu avais de l'argent, combien serais-tu prêt à m'offrir pour ce secret?

— Je ne sais pas, disons vingt-cinq mille...

— C'est bien, c'est très bien. Ce n'est pas beaucoup, mais au moins tu fais des progrès...

Pendant quelques heures, les deux hommes bavardèrent, marchant parfois dans la roseraie, s'y assoyant, buvant du thé, et le millionnaire révéla à John le secret qui lui avait permis d'amasser sa prodigieuse fortune. Sa simplicité éberlua John. Comment se faisait-il qu'il n'y avait pas pensé avant? Peut-être simplement parce qu'il ne s'était jamais arrêté à y réfléchir. Ou peut-être parce qu'il ne croyait pas que pareil secret existât.

A la fin de leur longue conversation, le millionnaire avait appris à mieux connaître John et l'avait pris en sympathie: un homme si brillant et qui jusque-là avait eu si peu de chance méritait un petit coup de pouce du destin. Alors il fouilla dans sa poche, en tira la liasse de billets et dit:

— Tiens...

John ne comprit pas tout de suite.

— Vous me...?

— Oui, je te le donne... Après tout, ce n'est que mon argent de poche...

— Vingt-cinq mille dollars? Vous me donnez vingt-cinq mille dollars?

— Je ne te les donne pas, en fait, je te les prête. Un jour, dans cinq ans, dans dix ans, lorsque tu seras riche, tu aideras quelqu'un d'autre à démarrer, comme je le fais avec toi aujourd'hui. Et ainsi la boucle sera bouclée, et ce qui devait être accompli sera accompli.

Lui ayant remis cette somme inattendue, il s'approcha de lui et de son index droit, lui toucha le front entre les yeux en disant:

— Découvre qui tu es vraiment. La vérité te rendra libre.

Puis il le laissa seul. John eut l'impression qu'il venait de vivre un des moments les plus importants de sa vie, pas seulement à cause de la somme incroyable qu'il venait de recevoir, mais parce que tout était magique dans sa rencontre avec le millionnaire. C'était un peu une sorte de revanche du sort. Comme si le destin, malgré ses caprices, rétablissait les choses, même avec un peu de retard. Depuis plusieurs années, à l'agence, il avait été lésé par son patron, qui avait régulièrement favorisé des collègues moins doués et moins méritoires que lui — c'est du moins ce qui lui semblait. Mais cette rencontre providentielle changeait tout.

Henry vint le trouver et lui demanda s'il souhaitait se rafraîchir avant de partir. John accepta, comprenant que sa singulière visite en cette demeure tirait à sa fin. Il suivit le valet qui à la porte d'une des nombreuses chambres d'invités, lui remit une enveloppe, une grande enveloppe d'un très beau papier, qui portait un sceau de cire rouge en forme de rose.

— C'est de la part de mon maître, expliqua le valet.

Quand John l'ouvrit, seul dans la chambre, il comprit avec émotion qu'il s'agissait du testament spirituel du millionnaire, un document d'une soixantaine de pages. Il le parcourut puis, prêt à partir, il voulut remercier son hôte de tout ce qu'il avait fait pour lui.

Il descendit à la salle à manger, passa au salon mais n'y trouva pas le millionnaire et pensa qu'il était peut-être au jardin. Il n'avait pas tort. Mais une surprise bouleversante l'attendait. Allongé au beau milieu d'une allée, le visage parfaitement serein, les mains placées sur sa poitrine, comme celles d'un mort dans sa tombe, le vieil homme tenait une rose.

Emu, John se dit que le vieil homme n'était plus de ce monde et que c'était sans doute pour cette raison qu'il lui avait fait remettre son testament spirituel quelques minutes avant.

Par quelle intuition avait-il pu prévoir sa mort? Un autre mystère qui resterait sans réponse. Mais l'homme était si étonnant... Au bout de quelques secondes, John s'avança pour prendre la rose, en souvenir de sa rencontre, mais se ravisa. La fleur appartenait au millionnaire, et serait sa dernière compagne.

CHAPITRE 3

Où le jeune homme retrouve ses ailes

Dans la grande salle de conférences de l'agence Gladstone, le président de la société russe, visiblement déçu par l'exposé poreux, pour ne pas dire complètement nul, de James Gate, se leva, imité immédiatement en cela par ses acolytes, et déclara:

— Je pense que nous allons nous adresser à une autre agence. Ce n'est pas ce à quoi nous nous attendions.

Atterré, Gladstone ne protesta même pas. Sans John, introuvable en ce lundi matin, ni lui ni son nouveau vice-président, James Gate, n'avaient fait le poids. Une fois les Russes sortis, son visage — et d'ailleurs tout son crâne lisse — s'empourpra de colère et il tomba à bras raccourcis sur Gate:

— Tu n'étais pas capable de trouver quelque chose de mieux? Tu es complètement nul ou quoi? Tu aurais pu leur parler de marketing, de stratégie... Tu n'es pas supposé avoir un M.B.A. à la con?

— Oui, mais là, comme ça, obligé d'improviser... Je ne peux quand même pas deviner ce que ce salaud de John Blake a préparé.

— Ecoute, un M.B.A. est supposé se débrouiller dans toutes les situations, même les situations d'urgence. Alors pour ta nomination, je la mets sur la glace jusqu'à nouvel ordre. Un vice-président qui ne sait pas se débrouiller quand on est dans la merde, ce n'est pas un vice-président...

— Mais monsieur Gladstone, vous ne pouvez pas faire ça...

— Oui, je peux. La preuve, c'est que je le fais. Et maintenant, tu vas m'excuser, il faut que je parle à ce petit con de Blake. Il va voir de quel bois je me chauffe, celui-là.

Or John, arrivé à l'agence depuis quelques minutes à peine, avait surpris tout le monde non seulement par une insouciance que son retard rendait inexplicable, mais aussi par les roses qu'il distribuait à toutes les secrétaires, «pour cause de bonheur», expliquait-il. Personne ne l'avait jamais vu si sûr de lui, si charmant, si léger, lui qui, depuis un an, longeait les murs comme une ombre.

Sa secrétaire reçut ce qui restait de roses avec un mélange de surprise et d'angoisse:

— Où étiez-vous passé, monsieur Blake? Vous auriez dû me téléphoner! Monsieur Gladstone va vous tuer.

— Ah, se contenta de dire John qui, sans passer d'autres commentaires, se mit à placer ses effets personnels dans une boîte de carton qu'il avait ramassée dans un coin de son bureau.

Gladstone arriva en trombe dans son bureau, toujours sous l'effet de la colère.

— Où étais-tu passé? Te rends-tu compte de ce que tu viens de faire? Nous venons de perdre le contrat des Russes à cause de toi!

— Gate n'était pas là?

— Oui, mais c'est un con. Alors tu vas me faire le plaisir de me répondre tout de suite. Ça fait deux matins d'affilée que tu arrives en retard. Tu commences à me les briser.

John le regarda avec un sourire suave, et dit:

— Un problème avec votre prostate?

C'était connu, à l'agence, qu'un stress permanent avait donné à Gladstone des ennuis précoces à sa glande virile, et il y avait plusieurs plaisanteries qui circulaient dans son dos à ce sujet.

— Ma prostate n'a rien à voir là-dedans. Mais toi, tu vas avoir des ennuis avec la tienne, je te le promets. Sais-tu que je pourrais te congédier pour ce que tu viens de faire?

— Non, vous ne pourriez pas.

— Je ne pourrais pas, moi? hurla Gladstone outré.

— Non vous ne pourriez pas, parce que je vous remets ma démission.

— Tu me remets ta démission? balbutia Gladstone qui n'en croyait rien.

— Oui, et elle est effective à partir de...

Il n'acheva pas mais commença plutôt par consulter sa montre pour dire enfin:

— A partir de onze heures trente-sept...

Bill Gladstone n'avait pas l'habitude de se faire remettre des démissions. Il avait plutôt celle des congédiements cavaliers pour ne pas dire sauvages. Il crut d'abord à une plaisanterie. Qui pouvait oser démissionner de l'agence Gladstone, à ses yeux la meilleure au monde?

John tourna le dos à son patron, ramassa les quelques bibelots qui décoraient tristement son bureau, et les plaça dans la boîte.

Son patron faillit lui sauter dessus, mais reprit contenance, réfléchit rapidement. Il ne pouvait pas perdre John tout de suite. Evidemment, les cimetières étaient pleins de gens indispensables. Mais il ne voulait pas le laisser aller avant de l'avoir remplacé. Et puis John était brillant. Très brillant même. Même s'il ne le lui avait jamais dit. Il n'était tout simplement pas assez brillant, ou pas assez sûr de lui — ou un mélange des deux — pour se rendre compte qu'il aurait pu obtenir de bien meilleures conditions.

— Ecoute, John, j'aimerais que tu réfléchisses, je crois que ce départ est un petit peu précipité. Je suis prêt à passer l'éponge pour ce qui vient de se passer avec les Russes. Si tu veux on peut s'asseoir et discuter... Cette augmentation que je t'avais promise, eh bien je ne suis pas le genre d'homme à ne pas tenir mes promesses, alors à partir du mois prochain, on pourrait te donner cinq pour cent de plus...

John se tourna, avec dans les mains un vieux cheval miniature, qu'il examina assez longuement, en fronçant les sourcils, et au lieu de répondre à la question de son patron, comme si ce dernier ne lui avait même pas parlé, il demanda:

— Est-ce que ce bibelot vous intéresse? Je crois que je ne le garderai pas.

Ecumant de colère, Gladstone s'empara du bibelot et le lança contre le mur, où il se fracassa. Rarement s'était-il vu ridiculisé de la sorte, surtout par un vulgaire employé.

— Tu as eu une meilleure offre ailleurs?

— Non, dit-il on ne peut plus succinctement, et avec un détachement souverainement agaçant.

— Ecoute, dit Gladstone avec un ton paternaliste. Tu es un de nos meilleurs poulains, tu as énormément de talent. Alors je suis prêt à faire une exception à la politique salariale de l'agence. Je t'offre mille dollars de plus.

— Mille dollars de plus?

— Par mois bien entendu... Ce qui fait 12 000 de plus par année, précisa son patron.

Douze mille dollars de plus par année, c'est tout de même curieux, se dit John. Il y a à peine 24 heures que je crois que je vaux plus que ce que je gagne et mon patron est prêt à m'offrir douze mille de plus.

— Alors? demanda le patron.

— Douze mille...

— Bien entendu, il y aurait une voiture fournie, une B.M.

Diable! John n'en revenait pas. De quoi le faire changer d'idée. C'était bien la dernière chose à laquelle il s'attendait.

— Je vous remercie, mais... ce n'est pas une question d'argent.

— Tu veux démarrer ta propre boîte, hein? Eh bien laisse-moi te dire que tu rêves en couleurs! Tu vas te péter la gueule! Tu n'as aucun talent! Et je vais détruire ta réputation dans toutes les agences de New York.

John regarda ce qu'il venait de mettre dans la boîte de carton, et se dit que, finalement, il ne voulait rien garder, pour faire un véritable nouveau départ, et pour tout oublier de cette période pas très glorieuse de sa vie. Il sortit de son bureau, et au passage, mit la boîte dans les mains de son patron, qui, abasourdi, la laissa tomber par terre, avant de suivre son impertinent employé.

Dans la salle commune sur laquelle ouvrait le bureau de John, devant les employés amusés de la scène, et qui, du reste, avaient regardé John faire ce que, pour la plupart, ils rêvaient eux-même de faire depuis longtemps, Gladstone hurlait, les yeux allumés des feux de la fureur et de l'humiliation:

— Gate! Qu'on fasse venir Gate à mon bureau immédiatement!

Sur le trottoir, John éprouva un sentiment de liberté extraordinaire. Depuis combien de temps rêvait-il de remettre sa démission, de claquer la porte, de dire à son patron ses quatre vérités — chose qu'il s'était d'ailleurs abstenu de faire, peut-être par un relent de respect hiérarchique? Sa rencontre avec le vieux millionnaire, et surtout sa générosité exceptionnelle lui avaient ouvert un horizon nouveau.

Une exaltation curieuse s'empara de lui, semblable à celle qu'il éprouvait, enfant, lorsqu'arrivaient les vacances d'été et que l'école fermait ses portes pendant deux mois. Il eut le sentiment que l'avenir lui appartenait, et que commençait enfin une vie nouvelle.

CHAPITRE 4

Où le jeune homme connaît l'échec

Désolé, monsieur Blake, mais nous avons déjà une agence de publicité.

John, dont le regard était habituellement brillant, raccrocha, déprimé, l'œil terne. C'était le dixième refus qu'il essuyait dans la même journée. S'il en avait été à sa première semaine, ce n'aurait sans doute pas été si grave, mais il y avait six mois déjà qu'il avait ouvert son agence, plein de confiance en l'avenir, persuadé qu'il ferait rapidement fortune.

Et tout ce qu'il avait réussi à dénicher — sauf une affaire sympathique qui lui avait rapporté cinq mille dollars —, c'était de tout petits contrats peu lucratifs. Toutes les grandes compagnies — et même les petites — qu'il avait approchées lui répliquaient systématiquement la même chose. «Votre boîte n'est pas connue», «Vous n'avez pas fait vos preuves», «Nous ne faisons affaire qu'avec de grosses agences», «Quels sont vos autres clients?», «Ne nous appelez plus, nous allons vous rappeler.»

Au début pourtant, il avait cru tout avoir pour réussir. Il jouissait d'une expérience de plusieurs années au sein d'une agence de publicité prestigieuse. Il était un rédacteur chevronné, jamais à cours d'inspiration ou d'idées, doté d'une vitesse d'exécution fort prisée — et à la vérité absolument nécessaire — dans ce milieu où tout est «dû pour la veille». Et il s'était forgé une réputation excellente auprès des clients.

En outre, pour pouvoir consacrer le plus de temps possible au travail de création et à la recherche de nouveaux clients, il avait embauché dès l'ouverture de son agence une secrétaire, Rachel Winter, ravissante jeune femme de vingt-trois ans avec qui il n'avait pu s'empêcher, malgré ses réticences, de nouer une liaison sentimentale.

Mais comme s'il n'avait pas la main, ses affaires n'avaient jamais vraiment démarré et il avait dépensé la moitié du modeste capital dont il disposait au départ, si bien qu'il commençait à se demander sérieusement s'il n'avait pas fait une erreur en quittant cavalièrement son emploi.

Il commençait aussi à se demander si son père, qui était décédé quelques mois auparavant, n'avait pas eu raison de lui répéter continuellement, depuis sa tendre enfance, qu'il n'était pas fait pour la grande vie, ni pour devenir riche: personne ne l'était jamais devenu dans la famille — sauf son oncle Charles —, où la pauvreté était pour ainsi dire héréditaire. Son erreur, sa grande erreur, n'avait-elle pas été de ne pas vouloir prendre la relève du petit bistrot de son père?

En ce moment, d'ailleurs, John tournait pensivement dans ses mains nerveuses sa cravate, qui avait appartenu à son père, et qu'il portait d'ailleurs sur le beau portrait de lui qu'il avait posé sur son bureau, à côté de celui de Rachel, sa compagne. Homme d'allure sévère, les sourcils broussailleux et autoritaires, son père arborait une abondante chevelure blanche et avait toujours été considéré, même à un âge avancé, comme un bel homme. Il semblait à John qu'il était parti trop tôt, beaucoup trop tôt, et qu'il n'avait jamais eu l'occasion de lui parler, de vraiment le connaître.

Rachel vint le trouver, l'air préoccupé. En la voyant, John ne put s'empêcher de se passer la réflexion qu'il la trouvait encore plus belle, plus éblouissante, et plus «surprenante» que le jour de leur rencontre, six mois auparavant, et que son embauche était probablement la meilleure chose qui lui fût arrivée.

— Je pars, dit-elle, avec un accent sinon tragique, du moins très grave dans la voix.

— Il n'est que quatre heures, dit-il en consultant sa montre, je...

— Je sais, dit-elle. Mais c'est tranquille, et je... Je vais partir quelques jours, John. Je crois que nous avons tous les deux besoin de prendre un peu de distance... je sens que je suis devenue un poids pour toi... Je sais que l'agence ne fonctionne pas très bien... et je sais que cela a un impact sur nous deux puisque nous travaillons ensemble... Je vais passer quelques jours chez une amie, à Boston... Je t'appellerai à mon retour...

Même si cette annonce inattendue le contrariait, et surtout l'inquiétait, John ne protesta pas. Il savait lui aussi que, passée l'exaltante période de leurs débuts, un malaise s'était installé entre eux. Rachel avait blêmi. Elle porta la main à son front. John s'enquit aussitôt:

— Tu ne te sens pas bien?

— Non, non, ce n'est rien, un petit étourdissement seulement... Je crois que je n'ai pas digéré ce que j'ai mangé hier...

Il lui offrit un verre d'eau qu'elle accepta, puis, un triste sourire aux lèvres, elle partit brusquement, sans même l'embrasser, comme si elle était appelée d'urgence. Ce petit manquement à leurs habitudes de couple, ce départ précipité, donnèrent à John un pincement au cœur.

En la regardant sortir, il se rappela avec mélancolie le coup de foudre qu'il avait éprouvé lorsqu'elle avait franchi pour la première fois la porte de son bureau, serrée dans un tailleur noir. Comme elle était éblouissante avec sa chevelure blonde bouclée, ses longues jambes et ses yeux verts lumineux. Il avait d'ailleurs été singulièrement intimidé par elle — elle le dépassait d'une tête —, et il n'avait pas cru au début pouvoir lui plaire. Mais le miracle avait eu lieu. Et maintenant...

Pourquoi ne cherchait-il pas à la retenir? N'était-il pas

conscient qu'il était peut-être en train de la perdre? Et que s'il attendait, il serait peut-être trop tard... Comment savoir si ce petit voyage, cet éloignement provisoire n'était qu'un prétexte pour le préparer à une séparation véritable? Mais il était si préoccupé par la mauvaise marche de ses affaires, par la perspective d'un échec de plus en plus inévitable...

Il attendit un peu trop pour se lever, car lorsqu'il voulut rejoindre Rachel dans le corridor, pour avoir avec elle une explication — et surtout l'assurance que rien n'était vraiment changé entre eux —, les portes de l'ascenceur venaient de se refermer. Il ne crut pas bon de la poursuivre et rentra tristement dans son bureau où il se plongea dans une longue réflexion.

Ses pensées le ramenèrent à ses insuccès. Tout lui avait pourtant paru facile, au départ. Quelques mois auparavant, lorsqu'il avait rencontré le vieux millionnaire, il lui semblait que le monde lui appartenait et qu'il n'avait qu'à appliquer quelques principes simples pour connaître le succès. Peut-être avait-il mal compris les enseignements du millionnaire.

Pourquoi ne réussissait-il pas? Viendrait-il bien banalement grossir les rangs des illustres inconnus qui avaient fait l'erreur de croire que l'ambition seule suffit: un autre cas où le désir excédait le talent? Pourtant, il sentait qu'il y avait en lui quelque chose de grand, une valeur, un talent inexprimé qui un jour ferait mentir les circonstances actuelles.

Il éprouva l'envie de retourner à la demeure du vieil homme même s'il était décédé. On aurait dit qu'il avait commencé à douter non seulement de la validité des principes qu'il lui avait enseignés mais du fait même qu'il eût existé un jour. Voulait-il se convaincre qu'il n'avait pas rêvé?

Toujours est-il qu'il ferma plus tôt que d'habitude l'agence, où le téléphone ne sonnait d'ailleurs presque jamais, sauta dans sa voiture et se rendit à la demeure du vieux millionnaire.

Il n'eut pas de difficulté à retrouver son chemin, et reconnut tout de suite la grille qui défendait l'immense domaine du vieux millionnaire. Au moins, pensa John, je n'ai pas rêvé, le domaine existe bel et bien. Il n'y avait pas de gardien comme lors de sa première visite, et la grille était restée ouverte, si bien qu'il s'aventura sur le domaine.

Il roula lentement vers la vieille maison qu'il trouva tout aussi impressionnante que la première fois. S'enhardissant, il descendit de sa voiture. Il voulait revoir la roseraie, où il avait eu, avec le millionnaire, les conversations bouleversantes qui avaient changé sa vie. C'est du moins ce qu'il avait cru à l'époque.

Quelle ne fut pas sa surprise — et sa déconvenue — lorsque, à la place de la magnifique roseraie, il trouva un banal terrain de croquet. Quel sacrilège! Tant de beauté, tant de poésie sacrifiée! Les héritiers du millionnaire ou ceux qui avaient racheté sa maison après son décès, n'entretenaient visiblement pas, comme lui, le culte des roses et avaient préféré un vulgaire jeu de société...

Gagné un instant par un mouvement de révolte mêlée de nostalgie, il allait s'en retourner lorsque, au bout de la pelouse parfaitement manucurée, une tache rouge attira son attention. Ne s'agissait-il pas d'une rose, une de ces roses que le vieil homme cultivait avec tant d'amour? Il courut vers le fond du jardin, et à sa grande émotion, constata que c'était effectivement une rose. Il se pencha et la ramassa.

Il la huma. Elle exhalait un parfum très subtil, mais néanmoins pénétrant, et surtout elle était d'une fraîcheur étonnante, comme si elle venait d'être coupée en son plein épanouissement, au moment le plus parfait de la floraison.

John n'eut pas le temps de s'abandonner longuement à sa contemplation car il entendit alors des aboiements derrière lui et se retourna.

Trois gros dobermans, difficilement retenus par un gardien, se dirigeaient vers lui en montrant leurs crocs. John préféra ne pas demander son reste et il prit ses jambes à son cou, emportant la rose qu'il venait de trouver. Enragés, les chiens échappèrent à leur maître, et furent bientôt à une centaine de pieds de ce pauvre John. Son cœur se mit à palpiter. Quelle bêtise il avait commise en s'aventurant ainsi sur ce domaine!

Il courut encore plus vite, estima qu'il n'aurait pas le temps d'ouvrir la portière de sa voiture et fit un grand saut au moment même où le plus rapide des canins plantait les crocs dans sa veste et venait heurter la portière.

La Mustang heureusement démarra du premier coup, mais le doberman n'avait toujours pas lâché prise. John appuya sur l'accélérateur, et la bête finit par renoncer. John en fut quitte pour une veste déchirée, et des palpitations qui ne le quittèrent que lorsqu'il eut roulé un kilomètre. Une fois qu'il eut retrouvé son calme, il regarda la rose trouvée dans le jardin. N'était-elle pas un clin d'oeil du destin, un signe que sa chance ne l'avait pas tout à fait abandonné?

De retour chez lui, son appartement lui parut plus exigu, plus minable qu'à l'habitude. Mais la découverte de la rose lui avait redonné espoir, et il se dit que malgré ses premiers échecs, il ferait tout pour s'en sortir, pour échapper à cette vie misérable. Il réaliserait ses rêves. Il aurait une boîte bien à lui, il serait son propre patron et ne dépendrait plus de personne.

Dans le fond, plus ou moins consciemment, il voulait aussi prouver à son père, même s'il n'était plus de ce monde, qu'il pouvait réussir. Il voulait confusément qu'il fût fier de lui, même à retardement comme s'il savait que son père, où qu'il fût, serait témoin de son succès.

Il pressentait que sa vie entière dépendait de son succès, que s'il échouait, il perdrait tout, et même, peut-être, Rachel. Il ne pouvait supporter l'idée qu'elle fût témoin de son échec. Il voulait qu'elle aussi, comme son père, fût fière de lui. Il voulait pouvoir lui offrir les meilleures choses de la vie, avoir les moyens de retourner quand il voudrait à l'*Hôtel Plaza*, où il l'avait amenée à leurs débuts et où ils avaient dansé toute la soirée, avant de devenir amants....

Pour se redonner espoir, comme pour braver le sort contraire qui s'acharnait contre lui, il plaça la rose dans une vieille bouteille de Coke — un vestige depuis la popularisation des canettes. Sa beauté mystérieuse le fascinait. Cette fleur n'était-elle pas un symbole subtil et parfait du succès, qui en général ne s'obtient qu'au prix d'épreuves figurées par les épines?

Peut-être parce que sa visite à la résidence du millionnaire lui avait rafraîchi la mémoire, il se rappela un des ultimes conseils que ce dernier lui avait donnés avant son départ.

«Concentre-toi dans le cœur de la rose... Concentre-toi dans le cœur de la rose...»

Alors pendant une heure entière, il fixa le cœur de la rose, tentant de trouver la raison de ses échecs et peut-être encore plus un sens à sa vie, car il avait de plus en plus l'impression qu'il n'allait nulle part, et que, dans sa chute, il risquait de perdre ce à quoi il tenait le plus au monde: l'amour de Rachel.

CHAPITRE 5

Où le jeune homme rencontre un mendiant étonnant

Le lendemain matin, John se réveilla plus tard qu'à l'habitude. Il avait mal dormi, d'un sommeil perturbé par toutes sortes de rêves angoissés. Il se rendit à son bureau, mais il n'avait vraiment pas le cœur à l'ouvrage. Rachel était absente, et de plus c'était jour de fête. Alors il ne se passait vraiment pas grand chose.

Incapable de rester en place, il décida d'aller se promener dans les rues de la ville. New York, en ce jour de fête, n'avait pas la frénésie des jours de semaine ordinaires, et, sur les trottoirs, les passants étaient moins pressés.

Il marchait depuis une bonne demi-heure, profitant du beau temps, et arrivait sur Times Square lorsqu'un mendiant très âgé, vêtu d'un manteau bleu marine tout élimé, le visage abrité sous un grand chapeau à rebords noirs, lui demanda:

— Auriez-vous dix dollars?

— Dix dollars? dit John avec une certaine animosité, surpris du culot de ce mendiant. Non, je n'ai même pas un dollar.

Le mendiant releva alors la tête et dit, avec un sourire désarmant:

— Je m'excuse de vous avoir dérangé. Je vous souhaite une excellente journée.

Il avait dit cela avec une sincérité surprenante, comme s'il avait connu John depuis des années, comme s'il était un membre de sa famille, sur le point de le quitter pour des mois, voire des années. Il tourna le dos à John et s'éloigna aussitôt sans insister.

En entendant cette voix, et surtout devant tant de gentillesse, John se sentit tout à coup petit, mesquin. Quelques mois auparavant un pur inconnu lui avait fait cadeau de vingt-cinq mille dollars... Etait-il devenu si pingre, si radin qu'il ne pouvait même plus donner quelques sous à un mendiant?

Mais il n'y avait pas que cela. Le jeune homme n'avait pas été troublé que par la voix et l'affabilité du mendiant. C'était surtout ses yeux, d'une luminosité extraordinaire, qu'il n'avait vus qu'une fraction de seconde lorsque le mendiant avait relevé la tête. Des yeux uniques, très bleus, brillants comme le diamant et rieurs comme l'étaient, dit-on, ceux de Voltaire.

En les regardant, même quelques secondes seulement, John avait eu l'impression de se perdre dans le ciel, dans l'azur infini, comme s'ils contenaient et révélaient au spectateur, même distrait, une dimension complètement différente de la vie, une élévation, une noblesse incomparables. Mais surtout, détail infiniment troublant, il lui semblait que ce regard ne lui était pas étranger, qu'il l'avait déjà croisé dans le passé.

Alors il éprouva un grand frisson qui lui parcourut tout le corps. Il venait de se rappeler à qui ces yeux-là le faisaient penser: au vieux millionnaire. Et puis, coïncidence non moins troublante, le mendiant lui avait demandé la même somme que le millionnaire qu'il avait pris pour le jardinier du domaine: dix dollars! Cela pouvait-il être un hasard?

Pourtant, c'était impossible: il l'avait vu, mort, au beau milieu de sa roseraie. Mais était-il vraiment mort? Il n'avait pas vérifié, n'avait même pas osé s'approcher, saisi de respect et surtout étranglé par l'émotion de voir partir de manière si inattendue un homme qui, malgré la brièveté de leur rencontre, avait été véritablement un second père pour lui.

John le revit allongé dans une allée du jardin, une rose posée sur sa poitrine immobile. A la réflexion, n'avait-il pas l'air effectivement très vivant, dans son repos éternel? Pourtant, même s'il était un homme étonnant, comment avait-il pu revenir du royaume des morts?

Mais John pensa alors que, mort ou pas, un homme aussi fortuné que le millionnaire ne s'habillerait jamais comme un vagabond. Et pourtant, une voix mystérieuse — peut-être l'enfance préservée en lui —, lui disait que c'était possible. Il s'élança pour rattraper le mendiant qui s'éloignait d'un pas vif, mais heurta une passante, une vieille dame obèse qui renversa ses sacs de provisions.

Malgré sa hâte, John s'assura que la dame n'était pas blessée, et, en même temps qu'il s'excusait, ne put faire autrement que l'aider à ramasser ses paquets. Cette tâche expédiée, il constata qu'entre-temps le mendiant avait disparu dans la foule.

Affolé, John se remit à courir. Au bout de quelques enjambées, il lui sembla voir le mendiant, qui tournait sur Broadway. Il pressa le pas, courut jusqu'au coin. Arrêté devant la vitrine d'une pâtisserie, le vieil homme fixait un gâteau. Tout heureux, John se précipita vers lui et lui toucha respectueusement l'épaule. Le mendiant se tourna. Mais ce n'était pas lui qui venait de lui demander de l'argent. D'ailleurs, dans son énervement, John n'avait pas noté que ce clochard ne portait pas le grand chapeau noir de l'autre mais seulement un manteau sombre, du reste assez similaire.

Déçu, John s'excusa auprès du mendiant et le surprit en lui donnant un billet de dix dollars. L'homme crut qu'il s'agissait d'un piège, se tourna de gauche et de droite pour voir si John n'avait pas un comparse qui l'assommerait ou le volerait, puis, rassuré, remercia son bienfaiteur et s'empressa d'entrer dans la pâtisserie.

John retourna à toute allure vers Times Square. L'homme qu'il cherchait s'y trouvait peut-être. Il regarda dans toutes les directions mais ne trouva rien. Même si ce qu'il avait pensé au sujet du mendiant était invraisemblable — c'est-à-dire qu'il fût le millionnaire ressuscité —, il se sentit alors plus déprimé. Même absurde, un espoir réconforte.

Il flâna un peu sur Times Square, puis emprunta une rue transversale où, les émotions lui ayant donné soif, il pourrait prendre un verre. Il reconnut l'enseigne d'un café où il se souvenait d'être allé il y a longtemps et, à une vingtaine de pieds de la terrasse de l'établissement, contre toute attente, il retrouva le mendiant.

Il crut d'abord qu'il rêvait. Et pourtant non, l'homme, attablé devant un énorme jus d'orange, était affublé de la même tenue — un vieux manteau sombre et un large couvre-chef noir —, et jouait nonchalamment à pile ou face avec une pièce de monnaie, exactement comme l'avait fait le millionnaire lorsqu'il avait partagé un repas avec lui. Au bout de quelques secondes, ayant peut-être lancé la pièce trop haut dans les airs, le mendiant n'arriva pas à la rattrapper, y toucha seulement, l'échappa et la regarda rouler sur le trottoir en direction de John qui eut juste le temps de se pencher pour la ramasser.

En se relevant, il croisa le regard du clochard. Une grande émotion l'envahit. Son intuition ne l'avait pas trompé. Ce mendiant aux yeux extraordinaires de vie et de joie, c'était le vieux millionnaire. Lorsque ce dernier comprit que John l'avait reconnu, il laissa s'épanouir sur ses lèvres très rouges son sourire pétri de sagesse et d'ironie. Contrairement à John, il ne paraissait nullement étonné de le retrouver ainsi, par «hasard», dans une rue de New York. N'avait-il pas prévu ou mieux encore orchestré cette rencontre?

Toujours sous le choc de l'émotion et de la surprise, John, pièce de monnaie en main, s'avança vers le millionnaire et ne put s'empêcher de lui poser une question dont l'absurdité ne lui effleura pas l'esprit:

— Vous n'êtes pas mort? Comment se fait-il?

— Parce que je suis vivant, dit le millionnaire en souriant plus largement encore.

— Mais je ne comprends pas, c'est impossible, vous étiez allongé dans votre jardin. Je vous ai vu.

— Comme disait Shakespeare, il y a beaucoup plus de choses dans le monde que dans les livres de philosophie...

J'étais simplement en état de sommeil profond pour renouer avec mon moi véritable... Tu as une jolie cravate, termina le millionnaire d'une manière surprenante.

Etonné de ce compliment inattendu, John porta instinctivement la main à sa cravate, se demandant si c'était là un simple hasard, ou bien si le millionnaire, doté du don de double vue, avait deviné l'importance sentimentale que cet accessoire vestimentaire avait à ses yeux.

— Je... je vous remercie, dit-il, embarrassé.

John ne questionna pas davantage le millionnaire au sujet de sa «résurrection». Elle lui paraissait bien curieuse, inexplicable, tout autant que ce sommeil étrange dont venait de lui parler le vieil excentrique. Bien sûr il avait entendu parler de certains grands sages de l'Inde, qui pouvaient endormir leur corps à volonté et rester dans cet état cataleptique pendant des jours, des semaines même. Mais à sa connaissance, le millionnaire n'était pas un sage oriental, il vivait bien aux Etats-Unis. De toute manière, il était là devant lui, en chair et en os, et il n'était pas question de contester le fait qu'il fût vivant.

— Je suis allé chez vous hier et j'ai été très surpris de voir que vous aviez rasé votre roseraie pour la transformer en terrain de criquet...

Le millionnaire s'assombrit aussitôt et eut une moue de déception:

— J'ai déménagé, je ne savais pas pour la roseraie...

Il y eut un silence ému. Puis le jeune homme pensa aux frustrations qu'il vivait depuis plusieurs mois, collectionnant les échecs. Plusieurs fois, il avait mis en doute la valeur des enseignements du millionnaire. Une vague de révolte monta en lui, et il jeta la pièce de monnaie sur la table en déclarant:

— A cause de vous, j'ai quitté mon emploi. Et je suis au bord de la faillite.

Le vieil homme regarda la pièce de monnaie avec une certaine surprise, comme si l'impolitesse de John le choquait légèrement, puis répliqua, un sourire fin sur les lèvres:

— Lorsqu'un homme debout devant vous est fâché, toujours commencer par l'inviter à s'asseoir, disait Napoléon.

Dérouté par le calme du vieil homme, et par ce principe napoléonien, John consentit à s'asseoir et dit:

— Alors?

— T'ai-je demandé de quitter ton emploi? dit le millionnaire en récupérant la pièce de monnaie.

Cette réponse qui n'en était pas une (mais depuis Socrate on sait que l'on peut répondre à une question par une autre question) prit le jeune homme au dépourvu.

— Non, bafouilla-t-il.

— Si je m'étais contenté de te donner un poisson au lieu de te montrer à pêcher, tu pourrais me faire des reproches... Mais je t'ai non seulement révélé tous les secrets de la richesse, je t'ai en plus donné un poisson de vingt-cinq mille dollars...

CHAPITRE 6

Où le jeune homme apprend à penser et à trouver des idées

J'ai dû faire des centaines d'appels pour décrocher des contrats, expliqua John, toujours assis à la table de la terrasse.

— A la même personne? demanda le millionnaire.

— Non, évidemment! A des centaines de personnes différentes! Vous m'avez appris qu'il fallait être persévérant. Alors je ne me suis pas laissé décourager si facilement.

Le millionnaire plissa les lèvres en une moue de découragement comme si son jeune disciple n'avait rien compris à ses enseignements.

— L'hiver, lorsqu'un eskimo veut faire de la pêche sur glace, est-ce qu'il creuse un trou en donnant cent coups de pic à cent endroits différents?

Il n'eut pas besoin de continuer. Honteux, John eut un sourire éloquent. Bien entendu, c'était élémentaire.

— Rappelle-toi Thomas Edison, reprit le millionnaire. A-t-il voulu faire 10 000 inventions?

— Non, je sais, enchaîna John qui connaissait la persévérance exceptionnelle du célèbre inventeur, il a fait dix mille tentatives avant de faire fonctionner la première ampoule électrique.

Les deux hommes se turent un instant. Le millionnaire regarda John avec affection. Il semblait vraiment heureux de le retrouver, comme un père qui retrouve son fils après une trop longue absence. Malgré sa tenue de mendiant, le vieillard avait un air altier, et au lieu d'être simplement assis sur sa chaise, il semblait y trôner comme un roi.

On aurait dit que son vêtement véritable était en fait son âme lumineuse dont l'éclat enveloppait ses loques et les faisait complètement oublier. Etait-ce son immense fortune qui lui conférait cette assurance olympienne, ce détachement? Pourtant, plus jeune, John avait lu la biographie de nombreux hommes riches, comme Howard Hughes, Rockefeller: malgré leurs millions, ils étaient tout sauf des êtres sereins.

— Il y a une chose que la plupart des gens oublient ou à laquelle ils ne pensent même pas, c'est qu'il y a toujours une raison à l'échec — comme d'ailleurs au succès. Quelles autres erreurs as-tu commises?

Cette question prit John au dépourvu.

— Je ne sais pas.

— Réfléchis, le pressa le vieil homme. Toutes les réponses sont en toi. Mais il faut que tu te donnes la peine de les chercher.

— Je ne sais trop. Si je le savais d'ailleurs, je ne les aurais pas commises aussi systématiquement et j'aurais réussi.

— Très juste, dit le millionnaire en riant. Je vois au moins que tu te sers occasionnellement de ton cerveau. C'est un début. D'ailleurs puisque nous parlons de réfléchir, dis-moi, depuis que tu as démarré ta boîte, combien de temps as-tu passé uniquement à réfléchir à la manière dont tu pourrais vraiment réussir?

— Je... je dois avouer... c'est bête, mais j'étais débordé...

— Débordé. Comme tous les gens ordinaires qui perdent leur vie à s'occuper de choses inutiles au lieu de tout arrêter et de consacrer du temps à réfléchir. Pascal a dit que le grand malheur de l'homme est de ne pouvoir rester assis seul dans sa chambre. Eh bien, le grand malheur de l'homme d'affaires, ou de l'artiste, ou du savant — le métier n'importe guère — c'est de ne pouvoir rester assis seul dans son bureau, son atelier, son laboratoire, sans téléphone, sans secrétaire, sans collègue, sans même aucun dossier devant lui, et sans se laisser distraire par lui-même, simplement à penser comment améliorer son sort, son art, sa fortune.

A mes débuts, lorsque j'ai compris ce secret, j'ai passé plusieurs jours simplement à réfléchir, à faire le vide. Je m'enfermais dans mon bureau, je décrochais le téléphone. Je me disais: «Il faut qu'en une semaine je trouve dix idées lucratives.». J'ai été sidéré du résultat. En une seule semaine, j'ai trouvé assez d'idées, assez de projets pour gagner plus d'un million.

— Un million?

— Oui, un million, que je n'aurais sûrement pas trouvé si j'avais passé mon temps à travailler comme on nous enseigne à le faire. Evidemment, je ne dis pas qu'il faille passer son temps à réfléchir. Certains versent dans cet excès et n'agissent jamais parce qu'ils passent leur temps à mettre au point leur idée, leur projet. La réflexion les paralyse. Il faut aussi foncer, il faut plonger dans l'action, avec audace et courage. Et une fois lancé, il faut travailler. Intensément. Corps et âme. Si le travail n'est pas suffisant, en revanche, rien ne le remplace.

Le millionnaire s'interrompit alors car le garçon de table arriva, leur présenta à chacun un menu. En consultant le sien, le vieil homme dit:

— La vie est comme un menu, si je ne sais pas ce que je veux commander, la vie m'apporte n'importe quoi.

Et sur ces mots, il choisit une simple salade, tandis que John opta pour un énorme sandwich au jambon et une montagne de frites, son plat préféré, même s'il savait fort bien que c'était engraissant, et que vu sa petite taille il devait toujours être prudent à ce chapitre.

Il se sentit un peu mal à l'aise lorsqu'il compara son assiette au goûter frugal que le vieil homme avait choisi. Mais après tout, il avait le droit d'avoir faim, et de manger. Il était plus jeune et c'était normal qu'il eût plus d'appétit.

Il se régala d'un bière bien froide, pendant que le vieillard, qui avait bu son jus d'orange, avait ensuite commandé un énorme jus de carotte qu'il parut déguster comme s'il s'agissait d'un vin d'un grand cru.

Il fermait les yeux, gardait longtemps le liquide dans sa bouche, respirait profondément et très lentement. Le jeune homme qui avait l'habitude d'enfiler tous ses repas en vitesse éprouva à nouveau de la gêne lorsqu'il vit qu'il avait déjà vidé son assiette alors que le vieil homme n'avait mangé que quelques bouchées, et qu'il ne paraissait pas pressé de terminer.

— Déjà fini? constata le vieil homme. Tu avais faim...

— Je... Je n'ai pas eu le temps de prendre de petit déjeuner...

— Le travail que ta bouche ne fait pas, c'est ton estomac qui doit le faire. Et l'énergie que prend ton estomac, c'est autant d'énergie que ton cerveau n'a pas à sa disposition. Alors si tu veux vraiment faire fortune...

Le jeune homme rougit. La leçon était pleine de bon sens. Il était surpris tout de même que le millionnaire pût attacher tant d'importance à des détails en apparence aussi anodins.

— Lorsque Socrate disait «Connais-toi toi-même», il ne parlait pas seulement de l'esprit mais aussi du corps. Tu ne réussis pas qu'avec ton esprit mais aussi avec ton corps, et si ton corps est occupé à digérer lourdement, voilà autant d'énergie qui n'est pas utilisable pour ta réussite. Alors choisis. Connais-toi toi-même et vois ce qui est mieux pour toi à tous les niveaux. Pas seulement au niveau mental ou intellectuel. Mais au niveau physiologique aussi. N'oublie pas les paroles d'Hippocrate: «Que ton aliment soit ton médecin, et que ton médecin soit ton aliment.». Pour avoir une pensée claire et puissante, mange frugalement et lentement. D'ailleurs, plus tu mangeras lentement, plus tu apprécieras tes aliments et moins tu auras envie de manger beaucoup.

John avait compris la leçon. Il n'avait vraiment plus faim. Le garçon revint sur ces entrefaites et leur demanda s'ils désiraient autre chose. Ils répondirent par la négative, ce sur quoi le garçon leur apporta la note.

CHAPITRE 7

Où le jeune homme apprend qu'on s'en fait souvent inutilement

Mais venu le temps de payer, John qui voulait offrir ce repas au millionnaire qu'il était si content d'avoir retrouvé, fouilla dans sa poche mais n'y trouva pas son portefeuille. Il fronça les sourcils. N'avait-il pas été soulagé de son portefeuille par un des nombreux voleurs à la tire de Times Square? Ce mendiant à qui il avait donné dix dollars le lui avait-il soutiré?

— Un problème? demanda le millionnaire.

— Non, non, dit John, gêné de devoir se faire inviter par le vieil homme même s'il était millionnaire.

Il n'aimait pas passer pour un parasite et il estimait avoir suffisamment abusé de son hospitalité lors de sa visite chez lui.

Alors il se rappela que le matin, il avait changé de pantalon à la dernière minute et oublié de transférer son portefeuille. Diable! pensa-t-il. Il n'avait sur lui que quelques dollars, quatre ou cinq tout au plus, ce qui était insuffisant pour régler l'addition. Et ses cartes de crédit étaient évidemment restées dans son portefeuille...

— Je n'ai... Je n'ai pas d'argent sur moi... dit John, le visage empourpré par la timidité.

— Moi non plus, dit le millionnaire

Qu'allons-nous faire? pensa John, que cette situation inattendue énervait. Le garçon s'approcha:

— Si vous n'avez pas d'objection à me régler immédiatement, mon *shift* se termine dans cinq minutes...

— C'est que nous avons un petit problème... Nous avons tous les deux oublié notre portefeuille...

En prononçant ces mots, John sentit à quel point son excuse était invraisemblable, mais il était trop tard, et du reste il ne faisait que dire la plus stricte vérité.

— Est-ce que je peux repasser vous payer plus tard? Mon bureau n'est pas loin d'ici...

— Je regrette, répliqua le garçon qui, visiblement contrarié, ne semblait pas croire un traître mot de ce que John venait de dire, mais je ne vous connais pas. Alors débrouillez-vous comme vous voulez, mais payez-moi.

John protesta:

— Ecoutez, soyez compréhensif, nous ne voulons pas ne pas vous payer...

— Alors payez-moi.

— Je viens de vous dire que nous n'avons pas d'argent sur nous. Mais mon ami est millionnaire...

— Et moi, je suis Marlon Brando, dit le garçon. Est-ce que vous vous foutez de ma gueule?

— Ecoutez, je vous dis qu'il est millionnaire, insista John. Dites-lui, demanda John en se tournant vers le vieil homme.

— Il croit que je suis un clochard.

— Vous en avez l'air, en tout cas, s'empressa de dire le garçon. Et je connais tous vos trucs minables. Des gens qui veulent manger à l'oeil à New York, j'en vois tous les jours, alors si vous vous pensez plus futés que les autres...

Il se tourna vers le gérant, qui faisait paisiblement les comptes à l'une des tables, et fit un geste que l'autre comprit aussitôt car il s'empressa de se lever pour disparaître dans le café dont il ressortit à peine trente secondes plus tard, pour fixer sur le millionnaire et John un oeil inquiet.

John se leva, alarmé, se doutant de ce que venait de faire le gérant. Il se tourna vers le vieil homme, qui avait toujours réponse à tout.

— Qu'est-ce que nous allons faire? Avez-vous une idée?

— Oui, répondit le millionnaire, imperturbable et souriant. Et toi?

— Moi, je n'en ai pas. Mais si nous ne trouvons rien, je crois que nous allons avoir des ennuis très bientôt...

Il n'aurait su mieux dire, car quelques secondes plus tard, il entendait des crissements de pneus et vit une voiture de police qui se dirigeait visiblement vers le petit café.

— Mais faites quelque chose! s'exclama-t-il en se tournant vers le millionnaire, qui maintenant riait.

— Pourquoi?

— Parce qu'ils vont nous arrêter!

— Pourquoi nous arrêteraient-ils?

— Mais parce que nous ne payons pas notre repas, voyons!

— Mais qui a dit que nous ne payions pas notre repas?

— Mais nous n'avons ni l'un ni l'autre de l'argent!

— Nous n'avons ni l'un ni l'autre de l'argent, répéta le vieil homme...

Les policiers étaient descendus de leur voiture. Le millionnaire leva le bras droit en leur direction et John crut qu'il était devenu complètement fou. Quoi! Il les appelait? Leur faisait-il donc signe pour être sûr qu'ils ne se trompent pas et n'arrêtent pas quelqu'un d'autre?

Les policiers aperçurent le geste du millionnaire, et comme, avec ses vieux vêtements, il correspondait au signalement d'un repris de justice récemment évadé, ils se regardèrent, l'air de se dire qu'il était complètement sonné, et que ce serait une arrestation facile.

Un des agents, véritable mastodonte, prit ses menottes, attachées à sa ceinture, et sourit largement, selon toute apparence impatient de procéder à l'arrestation. John n'en revenait pas.

Dans quel guêpier s'était-il encore fourré? Comment un

homme aussi riche que le millionnaire pouvait-il ne pas avoir un sou sur lui, ni carte de crédit.

Il eut envie de suggérer au millionnaire de faire un chèque. Mais il n'avait peut-être même pas de chéquier sur lui, et de toute manière sa tenue vestimentaire rendrait sûrement son chèque suspect aux yeux du garçon...

A la réflexion, peut-être n'était-il pas riche... D'ailleurs n'était-ce pas pour cette raison qu'il était en haillons? Pourquoi un vrai millionnaire s'attiferait-il ainsi, s'exposant à l'humiliation que subissent quotidiennement les clochards de New York? D'ailleurs, qui lui disait qu'il n'était pas un vulgaire imposteur, un simple employé, un jardinier détraqué qui avait profité de l'absence de son patron pour se faire passer pour le propriétaire du manoir? Pourtant, tout le personnel le traitait avec déférence, comment expliquer sa complicité?

La situation ne paraissait pas affecter le moins du monde le millionnaire. On aurait dit que, confortablement assis dans une salle de cinéma, il regardait un film. A l'arrivée des policiers, il abaissa le bras qu'il avait levé un peu plus tôt comme pour leur faire signe.

— Ce sont eux, expliqua le garçon. Ils viennent de bouffer et ils n'ont pas de quoi payer. Je veux déposer une plainte.

Mais à peine venait-il de prononcer ces mots que des crissements de pneus retentirent. Les deux policiers se retournèrent nerveusement, et l'un d'entre eux porta la main à son arme. Une longue limousine aux fenêtres teintées s'arrêta devant le café, vaguement menaçante. En y regardant de plus près, les policiers se détendirent.

La limousine affichait sur la portière avant un signe héraldique qui avait quelque chose de distingué, de diplomatique. On aurait dit l'emblème d'une ambassade ou de quelque organisme officiel. Il s'agissait d'un entrelacs de rose, au-dessus d'un château moyenâgeux, autour duquel était écrit: «Dans le cœur de la rose réside toute chose."

La portière s'ouvrit et un chauffeur en livrée en sortit, véritable géant Noir, portant casquette et lunettes fumées. Il claqua la portière et se dirigea d'un pas alerte vers la terrasse.

— Monsieur a besoin de quelque chose? demanda le chauffeur.

— Oui, Edgar, veux-tu donner à ce monsieur...

Tout le monde se tourna, l'air ébahi, vers le «clochard» qui s'interrompit et, avec un sourire absolument cordial aux lèvres, sans la moindre animosité, comme si le garçon ne l'avait nullement insulté, demanda:

— Combien vous devons-nous, au juste?

Nerveux, le garçon, qui se rendait compte qu'il venait de faire une gaffe et qu'il avait peut-être contrarié quelqu'un de très puissant, quelqu'un en tout cas qui était assez riche pour se payer une limousine et un chauffeur, jeta un coup d'oeil à l'addition, laissée sur la table, et bafouilla:

— D... Dix-huit dollars...

— Donne vingt-cinq dollars au pauvre homme, Edgar, il a été très éprouvé aujourd'hui.

— Oui, monsieur, répliqua poliment le chauffeur qui ouvrit son portefeuille, puis fronça les sourcils. Il en tira un billet de 100 $ et s'en excusa:

— Je n'ai pas de plus petites coupures, je suis vraiment désolé.

— Mais ce n'est pas grave, dit le garçon, je vous fais immédiatement de la monnaie.

— Mais non, ce n'est pas nécessaire, intervint le millionnaire, nous vous avons causé des soucis et je m'en excuse. Gardez tout. Vous achèterez un ballon à votre petit garçon.

Le serveur parut doublement surpris. Par l'extrême générosité du vieil homme bien sûr, mais surtout par le fait qu'il semblait avoir deviné qu'il avait un petit garçon qui, depuis une semaine, lui cassait les oreilles pour avoir un ballon de football. Quelle coïncidence extraordinaire!

Le chauffeur tendit le billet de cent dollars que le garçon s'empressa d'examiner discrètement, pour vérifier s'il s'agissait bien d'un vrai.

Bien sûr il avait reçu dans son assez longue carrière quelques pourboires généreux, donnés par des célébrités ou des milliardaires, mais c'était la première fois qu'il en recevait un qui faisait quatre fois le montant de l'addition.

Les policiers observaient la scène non sans une certaine jalousie, se disaient que décidément la richesse avait ses bons côtés, et que les riches n'étaient pas tous des salauds. Par ailleurs, ils avaient vraiment perdu leur temps en répondant à cet appel.

— Bon, dit le mastodonte, vaguement déçu de devoir replacer ses menottes inutilisées, je pense que nous n'avons plus rien à faire ici. Monsieur, dit-il le plus respectueusement du monde avec cette obséquiosité qui se manifeste presque spontanément en présence des gens célèbres, puissants ou fortunés, nous nous excusons de vous avoir dérangé.

— Mais c'est moi qui m'excuse, corrigea le millionnaire. Edgar, s'il te plaît, veux-tu donner un pourboire à nos amis les agents.

— Je n'ai que... des billets de cent.

— Eh bien, donne-leur des billets de cent!

— Oui, monsieur.

Evidemment, les policiers ne protestèrent pas et acceptèrent les billets avec un grand sourire, avant de se retirer.

John était épaté. S'il avait un instant pris le vieil homme pour un imposteur, maintenant il avait la certitude qu'il était riche. Qui donc, en effet, pouvait flamber ainsi trois cents dollars, sinon un millionnaire authentique — et plutôt fantaisiste?

— Est-ce que la maison peut vous offrir quelque chose? demanda la garçon qui était devenu tout miel, soumis lui aussi comme la plupart des gens à la fascination de l'argent.

Le vieil homme se tourna vers John pour lui demander s'il désirait quelque chose, ce qui n'était pas le cas.

— Non, dit le millionnaire, nous ne prendrons rien. Je vous remercie.

Le garçon s'inclina, le remercia à nouveau et se retira. Le millionnaire dit à John:

— Tu vois, John, tu t'en faisais pour rien. Quand ton esprit sera plus ferme, mieux entraîné, quand tu auras développé la vision juste, tu verras qu'on s'en fait *toujours* pour rien, et que chaque chose a sa raison d'être. Tout arrive pour le mieux. Et au fond, d'une certaine manière, rien n'a vraiment d'importance. Les choses n'ont que l'importance qu'on veut bien leur accorder. Lorsque tu seras aux prises avec des problèmes qui te paraissent graves, insurmontables, pense à ce que je viens de te dire, pense à ce qui vient d'arriver. Un jour tu comprendras qu'ultimement tous les problèmes ne sont que des malentendus, des pièges dans lesquels nous tombons parce que nous n'avons pas atteint la maîtrise de notre mental. Même la mort, le problème suprême qui effraie tant les gens, est tout à fait anodine, sans danger... Le monde n'est qu'un reflet de ton esprit... Si ton esprit est parfaitement calme, dans les situations les plus critiques, même devant la mort, alors toute trace d'angoisse, tout problème disparaît et retourne dans le néant d'où il vient. Penses-y. Penses-y. Lorsque tu auras compris cela, tu seras libre. Bien plus libre d'ailleurs que de la liberté que pourraient t'apporter des millions de dollars dans ton compte en banque.

Il se leva alors et dit à son chauffeur:

— Maintenant, Edgar, nous rentrons à la maison.

Il se tourna vers John et lui demanda:

— Est-ce que je peux t'inviter dans ma nouvelle demeure? A moins évidemment que tu n'aies d'autres obligations.

— Non, pas vraiment, dit le jeune homme qui eut une pensée pour Rachel. Que faisait-elle? Etait-elle chez sa copine de Boston? Ou était-elle déjà rentrée chez elle, précipitant son retour, auquel cas il aurait pu la voir? Malgré l'émerveillement de cette rencontre inattendue avec le millionnaire, après quelques heures d'absence, elle lui manquait déjà.

CHAPITRE 8

Où le millionnaire lui enseigne la mentalité du millionnaire

Avant le départ, le millionnaire demanda à son chauffeur d'ouvrir le coffre arrière de la limousine d'où il sortit un coffret de bois d'allure très ancienne, qu'il prit avec lui. Les trois hommes montèrent dans la voiture qui démarra immédiatement.

A un feu rouge, le vieil homme baissa sa fenêtre puis, désignant un homme qui portait un complet mal taillé, au pantalon trop court, et tenait une malette toute usée, posa à John la question suivante:

— Sais-tu ce qui distingue cet homme de moi?

— Il n'a pas de chauffeur, n'a probablement pas votre compte en banque, et n'oserait pas s'habiller en mendiant.

Le rire sonore du millionnaire éclata. Ce John avait décidément un certain esprit de répartie.

— C'est juste, c'est juste. Mais la plus grande différence, la différence fondamentale est dans ce coffret, dit-il en désignant la boîte qu'il tenait sur ses genoux. C'est une boîte qui m'a été donnée par mon maître à mes débuts et qui est une des grandes causes de ma richesse. A mon tour, je te la donne car je n'en ai plus besoin. Un jour lorsque le temps sera venu, tu la remettras à un autre homme, ou à une femme, de manière à ce que la chaîne ne soit pas brisée, et que l'enseignement soit transmis.

John regarda avec curiosité le très beau coffret ancien. Il était impatient de l'ouvrir. Que pouvait-il bien contenir? Des bijoux précieux? Quelque accès à un compte en banque? Une formule secrète ou un plan infaillible pour faire fortune? Le vieil homme lui remit le coffret cependant qu'un sourire léger flottait sur ses lèvres. Le jeune homme s'empressa de l'ouvrir. Une expression de déception se dessina sur son visage. En effet, au fond de la boîte, il n'y avait qu'une vieille radio, qui devait avoir une quarantaine d'années, peut-être plus. John la prit, la sortit du coffret et regarda le millionnaire avec un air sceptique.

— Cet homme, dit le vieil homme en désignant l'inconnu qui attendait l'autobus, ressemble un peu, sauf tout le respect que je lui dois, au primitif qui habite dans la forêt et n'a jamais vu une radio.

Le feu passa au vert et la limousine démarra.

— Imagine que tu ailles trouver un primitif au fond de sa jungle, avec cette radio et que tu lui affirmes que des sons peuvent sortir de cette petite boîte. Non seulement des sons mais également une voix humaine et de la musique. Il te prendra probablement pour un fou. C'est tout à fait au-dessus de son entendement de penser que les ondes radio existent, parce qu'elles sont invisibles.

L'homme ordinaire ressemble à ce primitif. Il ne croit pas que les idées ont une existence réelle, pas plus que ce primitif ne croit aux ondes radio. Pourtant, nous savons que les ondes radio existent bel et bien. Mais malheureusement, l'éducation de l'homme ordinaire ne va pas plus loin. Elle s'arrête où commence celle de l'homme supérieur. Or ce dernier sait que les idées sont des choses réelles, bien réelles, que toute idée qu'on émet tend à se concrétiser, à amener dans nos vies les circonstances et les êtres qui permettent sa réalisation. Et ce, peu importe que ces idées soient négatives ou positives. L'homme supérieur sait que les idées sont des choses, il sait également que son cerveau, que son esprit est comme cette radio, et qu'il peut en tirer une musique extraordinaire, une richesse qui le mette pour toujours à l'abri du besoin. Ce n'est d'ailleurs pas simplement une question d'argent, c'est une question d'accomplissement. Si l'homme que nous avons vu tout à l'heure utilisait ses pouvoirs intérieurs, il pourrait vivre ses rêves et devenir une version plus achevée de lui-même. Prends un véritable millionnaire, enlève-lui tout, et mets-le dans la situation de cet homme. Eh bien dans quelques mois, dans quelques années au plus, il aura rebâti sa fortune. Parce qu'il a gardé la chose la plus importante: son esprit.

Le vieil homme se tut un instant puis reprit la parole:

— Une fois que tu as fait une première moisson d'idées, il faut que tu établisses des priorités. Pose-toi la question suivante: «Si parmi tous ces projets qui viennent de germer dans mon esprit, je n'avais le temps d'en réaliser qu'un seul, lequel choisirais-je? Lequel semble contenir le plus de potentiel?» Une fois que tu l'as déterminé, concentre tes premiers efforts sur ce projet.

— Mais, dit John, comment savoir si l'idée — ou le projet — que je choisis en priorité est la bonne? Je connais nombre d'amis ou de collègues qui croyaient avoir une idée géniale et qui se sont ruinés.

— Il faut que tu te fies à ton génie intérieur, à ton intuition.

— Mais comment savoir si mon intuition ne me trompe pas?

— C'est bien, dit en souriant le millionnaire, je vois que tu apprends de plus en plus à raisonner, à poser les bonnes questions.

C'est absolument essentiel que ton génie intérieur soit programmé correctement, positivement, grâce à la répétition matin et soir et à haute voix de formules comme celles que je t'ai données: «De jour en jour, à tout point de vue, je vais de mieux en mieux». N'oublie pas que le génie des ténèbres existe aussi, et qu'il dirige malicieusement la vie de millions de gens, sans d'ailleurs qu'ils s'en rendent compte. C'est justement sa grande force de tenir cachée son existence et surtout sa funeste influence.

— Je vois, dit John.

— Tu peux d'ailleurs appliquer ce principe des priorités à toute ta vie. De toutes tes activités, demande-toi laquelle est la plus importante pour toi, laquelle te permet d'atteindre le plus grand bonheur. En réfléchissant, tu comprendras que tout ce qu'on fait n'a pour but que de nous conduire à la recherche de notre véritable identité, de notre propre réalisation spirituelle. Lorsque tu t'en seras rendu compte, tu y consacreras tes plus beaux efforts, sans plus tarder, sans perdre une minute parce que tu auras alors compris qu'il y a des années, des siècles même que tu perds ton temps. En fait, tu ne perdais pas ton temps, parce que tout ce que tu as fait t'aura conduit vers ce point unique et vertigineux où commence enfin le voyage véritable, pour lequel toutes tes vies antérieures n'ont été que des préparations.

L'erreur de l'homme est de toujours penser qu'il a tout le temps devant lui pour faire les choses importantes. Les grands hommes d'affaires et les grands sages vivent chaque journée comme si c'était la dernière journée de leur vie en se consacrant continuellement aux tâches essentielles. Penses-y. Penses-y.

La limousine se frayait un chemin à travers les rues achalandées de New York à destination de la demeure du millionnaire à Long Island.

— La plupart des gens vivent dans une sorte de torpeur permanente. Ils espèrent vaguement qu'il va se passer quelque chose, qui améliorera leur sort. Un événement, une rencontre, un numéro chanceux à la loterie, une politique du gouvernement. Ils ne savent pas que tout part d'eux et que tout revient à eux, qu'ils sont les seuls responsables de leur destin. Et que ce sont leurs idées dominantes qui finissent par déterminer leur vie. Ce qu'on est intérieurement finit toujours par se manifester extérieurement. Tout ce que l'esprit humain conçoit et croit qu'il peut réaliser, il peut le réaliser. Lorsque tu oublieras ce grand principe, lorsque tu en douteras, ouvre ce coffret et regarde cette vieille radio.

Méditant ces paroles, John replaça la vieille radio dans le coffret qu'il referma. Les deux hommes se turent pour le reste du trajet qui dura environ une demi-heure. John se sentait bien, il ressentait un calme qu'il n'avait pas éprouvé depuis des jours, voire des semaines, comme le calme d'être rentré chez soi après un trop long voyage. Il se rendait compte que le millionnaire était un peu devenu son père spirituel. Et que de l'avoir retrouvé lui faisait un peu oublier, même provisoirement, la douleur provoquée par la mort de son père véritable.

Il est vrai que le vieil homme possédait cette qualité unique, propre aux grandes âmes, d'affecter sans parler, par le seul rayonnement de leur personne, de leur joie intérieure, de leur lumière, l'humeur de ceux qui se trouvent en leur présence.

Le millionnaire n'avait toujours pas refermé la fenêtre de la limousine, et malgré le vent de la route, son chapeau ne bougeait pas, comme s'il était si solidement fixé sur sa tête que même un ouragan n'aurait pu le déplacer.

John le remarqua et s'en étonna. Décidément, tout était étrange autour de cet homme. Non seulement était-il un philosophe mais il était un véritable magicien de la vie. Avec lui, rien n'était banal, tout était surprenant, coloré, nouveau.

Malgré sa sérénité nouvelle, ses pensées le portèrent vers son père, qui était mort quelques mois plus tôt et dont il était encore en deuil. Son père était d'une certaine manière un homme ordinaire, qui n'avait jamais cru aux grandes choses, ni eu de grands rêves. Mais aux yeux de John il était un homme extraordinaire. Parce que c'était son père. Et parce que c'était un homme sensible, même s'il ne dévoilait pour ainsi dire jamais ses sentiments. Il pensa à la visite que, le jour de sa démission, il lui avait faite à son bistrot, un petit établissement de Manhattan qu'il tenait depuis une trentaine d'années.

Lorsque John arriva au bistrot, plutôt tranquille en ce lundi après-midi, il fut accueilli par Madeleine, qui depuis la mort de sa mère, était devenue pour son père une femme à tout faire en plus de l'aider occasionnellement au bar. Profitant du calme qui avait suivi l'heure du lunch, elle lavait des verres, tout en renouvelant les consommations de quelques clients attardés, pour la plupart des chômeurs.

Femme d'environ quarante-cinq ans, à la carrure solide, bien en chair sans être véritablement grasse, elle dégageait une sorte de bonté paysanne, et était toujours contente de voir John, dont les visites étaient d'ailleurs plutôt rares:

— Que nous vaut l'honneur, Monsieur John?

— Je suis venu annoncer une nouvelle à mon père...

— Monsieur John se marie?

— Non... C'est plutôt d'ordre professionnel...

— Ah, j'avais pensé, mais ça viendra... Il ne faut pas vous décourager...

Thomas Blake revint alors de l'arrière-boutique, qui était en fait un appartement où il vivait bien modestement, et Madeleine s'empressa de déclarer:

— Monsieur Blake, monsieur votre fils a une nouvelle à nous annoncer.

Pas très grand, doté d'une véritable crinière blanche, il souffrait d'un embonpoint léger, mais dégageait une impression de force, que venait cependant atténuer un teint couperosé.

— Tu t'es fiancé? demanda-t-il à John.

Décidément, pensa John, tout le monde tient à ce que je me marie! Lui aussi bien entendu. Mais il n'était pas prêt à se marier avec la première venue, pour devoir divorcer deux ou trois ans plus tard, comme plusieurs de ses amis. Il prenait l'amour et le mariage trop au sérieux. Son père, lui, était bien désolé que son fils, passé la trentaine, n'eût pas encore pris femme. Il voulait surtout des petits-enfants, goût d'ailleurs accentué depuis son veuvage, et comme John était son fils unique, la chose ne pouvait se faire que par lui...

— Non, dit John, je viens t'annoncer que j'ai remis ma démission à l'agence...

Le visage de son père s'éclaira d'un seul coup. Il serra très fort John dans ses bras et dit à Madeleine:

— Ma fille, verse-nous deux grands cognacs, John a finalement démissionné.

Et il disparut dans l'arrière-boutique sans laisser à son fils le temps de donner des précisions. Terriblement embarrassé par ce malentendu, John, le visage défait, se demandait comment il allait se tirer de cette situation. Madeleine avait déjà posé sur le comptoir deux beaux verres à cognac, et les emplissait, une lueur de joie dans les yeux.

— Ça, monsieur John, pour être une bonne nouvelle, on peut dire que c'en est une.

George, un des plus anciens clients qui, en chômage depuis un an, avait fait du bistrot son bureau et y passait le plus clair de son temps, incapable d'annoncer à sa femme qu'il avait été licencié, tourna une tête lourde en direction de John:

— Félicitations, monsieur John.

— Merci, répondit John distraitement.

Thomas Blake revint de l'arrière-boutique avec sous le bras un objet assez encombrant couvert d'une housse. Dans son enthousiasme il lança à Madeleine:

— Sers aussi un cognac à George.

Puis il revint derrière le bar et leva son verre:

— A la santé de mon fils John, qui vient enfin travailler avec moi.

C'était son plus vieux rêve, son rêve le plus cher. Il y avait des années qu'il harcelait son fils pour qu'il vînt le seconder au bistrot, puis prendre la relève, lorsque viendrait pour lui le temps de la retraite. Ce n'était pas seulement une question de sous, pour garder l'argent dans la famille et ne pas avoir à verser un salaire à un étranger.

C'était surtout pour pouvoir être plus souvent avec John, le voir tous les jours, le voir le plus souvent possible, la seule chose qui avait maintenant de l'importance à ses yeux, depuis qu'il avait perdu sa femme. Le reste, au fond, le laissait indifférent... Qu'est-ce que c'était, d'ailleurs, le reste? Rien... Vraiment rien... S'il n'avait pas son fils à ses côtés, rien ne l'intéressait à la vérité... En revanche, lorsque John était là, la vie prenait une couleur différente... Les choses s'animaient... Il avait le sentiment de retrouver sa jeunesse, lorsque sa femme vivait, que John était encore avec eux, et qu'ils étaient heureux...

Thomas Blake vida son verre d'une seule rasade, le posa virilement sur le comptoir et en redemanda un autre à Madeleine, qui ne voyait pas d'un très bon oeil qu'il bût tant, même pour une bonne cause. Elle souleva un sourcil hésitant:

— Vous buvez beaucoup, monsieur Blake. Vous savez que ce n'est pas bon pour votre cœur... Votre médecin...

— Mon médecin, je lui dis merde...

— Le mien aussi, dit George qui s'était empressé d'imiter le patron et profitait de son euphorie pour tendre son verre vide.

Le père de John le regarda avec un certain agacement. Le parasite en profitait. Mais c'était de bonne guerre. Après tout c'était jour de fête.

Madeleine regarda son patron pour obtenir son approbation. Il se contenta d'incliner légèrement la tête mais en même temps tendit discrètement deux doigt réunis pour signifier qu'elle devait servir une petite ration.

— Tu ne bois pas? demanda-t-il à son fils qui, de plus en plus désolé de ce quiproquo, n'avait pas touché son verre, se demandant comment diable il allait dire la vérité à son père au sujet de ses intentions.

— Et maintenant, dit M. Blake d'une voix grandiloquente et volontairement moqueuse, je vous demanderais un peu de silence pour assister au dévoilement d'une enseigne extraordinaire qui va marquer le début d'une grande époque pour ce bistrot.

Il leva la housse et découvrit une belle enseigne en bois, noir et or, de style bostonien, qu'il avait lui-même peinte avec amour. Elle portait les simples mots: *Chez Blake, père et fils.*

John se sentit brisé, déchiré. Comment annoncer à son père sa décision, maintenant? Ne lui briserait-il pas le cœur irrémédiablement? Mais en même temps, pouvait-il lui cacher la vérité plus longtemps?

— Qu'est-ce que tu en penses, John? Elle est belle, hein?

— Oui, papa, elle est belle, mais ce que je voulais te dire c'est que... si j'ai remis ma démission ce n'est pas pour venir travailler ici. J'ai décidé de fonder ma propre agence.

John revit le visage immensément déçu de son père qui, sans protester, comme s'il venait de recevoir un coup de couteau mortel en pleine poitrine, replaça tristement la housse poussiéreuse sur l'enseigne qu'il rêvait depuis des années d'accrocher au-dessus de la porte de son bistrot. Il se pencha sous le comptoir et y prit une de ces petites pilules que son médecin lui avait prescrites pour les moments où il souffrait de palpitations ou de crises d'angine.

A ce souvenir, John sentit lui monter aux yeux des larmes que, s'étant détourné du millionnaire, il essuya discrètement. Pourquoi ce bistrot ne lui inspirait-il pas la même passion qu'à son père? Pourquoi sa vocation le poussait-elle vers d'autres horizons? Qui donc avait semé dans son esprit ces idées de grandeur?

CHAPITRE 9

Où le jeune homme découvre qu'il peut être à la fois le jardinier et la rose

Les demeures somptueuses de Hampton commençaient maintenant à défiler, et bientôt, la limousine ralentit devant une grille imposante.

Edgar l'ouvrit à distance et, après avoir longé un chemin bordé de fleurs de toutes sortes, la limousine arriva en vue d'un assez vaste bâtiment.

John crut qu'il s'agissait de la nouvelle demeure du millionnaire. Mais de plus près, il se rendit compte que ce n'était en fait que le garage, qui comptait pas moins de six portes doubles. Quand il vit enfin la maison, quelques secondes plus tard, il fut légèrement déçu. Elle était bien moins grande que l'ancien manoir Tudor. Mais il dut bientôt se détromper car en passant plus près de cette demeure qui devait tout de même compter une vingtaine de pièces et qui avait d'ailleurs trois étages et trois cheminées de pierre, il vit une grande enseigne qui annonçait: la maison d'Edgar. Edgar, pensa John, le chauffeur... C'était sa maison!

Ils dépassèrent la résidence et entrèrent alors dans un petit bois, très dense, mais pas très étendu, qui débouchait sur un pré où des chevaux couraient en liberté alors que d'autres broutaient paisiblement, cependant qu'un poulain nouveau-né tétait sa mère.

John s'attarda un moment à admirer les cheveaux, puis aperçut une résidence trois fois plus vaste que la maison d'Edgar, dans le même style cependant, mais avec un étalage plus grand de richesse. Il y avait des fontaines, des statues, des arbres et des fleurs.

— La maison des invités, commenta le millionnaire, mais si tu n'as pas d'objection, tu passeras la nuit dans la résidence principale.

Ils y arrivèrent enfin. Et cette fois-ci John comprit ce qu'être vraiment riche voulait dire. Il eut le souffle coupé.

C'était une reproduction d'un château français du dix-septième siècle, de quatre étages, avec cinq ou six tourelles et au moins une cinquantaine de fenêtres.

— Nous sommes arrivés, dit le vieil homme.

John ne put s'empêcher de se passer la réflexion que le millionnaire devait être beaucoup plus riche que ce qu'il avait d'abord pensé parce qu'un château de la sorte, reconstruit aujourd'hui, devait bien valoir une trentaine de millions, peut-être plus, surtout construit sur un immense domaine à Hampton, où les terrains valaient une fortune.

Un valet et une femme de chambre vinrent immédiatement accueillir le propriétaire du domaine. Tout le monde paraissait non seulement le respecter, ce qui était tout à fait naturel pour les membres du personnel mais mieux encore, l'aimer comme s'il était un vrai père.

Il faut dire qu'il n'était ni cassant ni condescendant avec aucun domestique mais paraissait plutôt traiter chacun comme son propre enfant. Il sembla en tout cas à John qu'il ne serait venu à l'esprit de personne de rire de lui, même s'il portait un accoutrement des plus étranges.

Il remit d'ailleurs son chapeau noir au valet, lui demanda d'en prendre grand soin, et donna des instructions pour préparer une chambre d'amis, la plus belle du château, précisa-t-il. Il prit cependant la peine de se tourner vers John dont il n'avait pas sollicité l'avis pour vérifier qu'il ne commettait pas d'impair en prenant ainsi les devants pour l'inviter à passer la nuit au château. John eut un simple hochement de tête pour signifier qu'il acceptait avec plaisir l'invitation.

— Si tu veux, dit le millionnaire, avant de te faire visiter la maison, j'aimerais que tu voies mon jardin de roses.

— J'en serais enchanté.

Ils laissèrent Edgar, le chauffeur, et les autres domestiques et firent lentement le tour du château. Ils passèrent à côté d'une immense piscine d'une forme irrégulière agrémentée de cascades d'eau.

Ils arrivèrent au jardin, qui était protégé par une très haute haie de cèdres parfaitement taillée. A l'entrée, se trouvait un cadran solaire et une plaque de bronze, verdie par la rouille, portant le même emblème que la limousine: «Dans le cœur de la rose, le secret de toute chose».

Le millionnaire précéda John. Impressionnant, le jardin, sillonné de nombreuses allées, devait bien faire près de deux cents mètres de profondeur, sur une centaine de largeur, et des roses de toutes les variétés y poussaient. Le fond de la roseraie, qui était ouvert, donnait sur la mer, brillante et belle, où quelques voiliers voguaient, poussés par une brise régulière.

— C'est vraiment magnifique, dit John, qui était sincèrement ému par la beauté de cette roseraie, la plus vaste qu'il eût jamais vue de toute sa vie.

A l'entrée de la roseraie, se trouvait un rosier qui détonnait avec les autres, tous d'une vigueur remarquable. L'arbuste était tout rabougri, pire encore, il semblait desséché, presque mort. Le millionnaire s'y arrêta, et examina l'une de ses branches. Elle ne portait pas de parasite, ni de pucerons ni d'aphidés. Se courbant davantage, il examina la base du rosier et aperçut alors quelques bourgeons, et trois ou quatre petites feuilles d'un vert très tendre. Son visage s'éclaira d'un sourire triste. Il se redressa et dit:

— Je suis revenu uniquement pour m'occuper de ce rosier. Ensuite, je repartirai. Mon travail ici sera accompli.

Et il se remit aussitôt à marcher sans laisser à John le temps de le questionner sur le sens de cette affirmation à tout le moins sibylline. John se laissa devancer, admirant le vieil homme, à l'allure majestueuse malgré son vieux manteau.

Etait-ce le parfum de cette multitude de roses, ou le vent de la mer, mais depuis qu'il était entré dans la roseraie, il lui semblait, bizarrement, que son esprit s'apaisait, ralentissait, qu'il y avait pour ainsi dire plus d'«espace» entre chacune de ses pensées. Il éprouva un sentiment d'insouciance, de bonheur qu'il ne se souvenait pas avoir connu depuis des années, depuis sa lointaine enfance peut-être.

Pendant quelques secondes même, non seulement lui sembla-t-il oublier où il était, mais aussi qui il était... Il ressortit de ce bref moment avec une fraîcheur inattendue et rare... Que serait sa vie s'il pouvait se maintenir à volonté dans cet état?

Il se ressaisit et rattrapa le millionnaire qui allait d'un pas léger, aérien presque et en tout cas étonnant pour un homme de son âge. Ils parvinrent bientôt au milieu du jardin, où s'étendait un étang, piqué de nénuphars aux très belles fleurs jaunes. Des canards blancs s'y ébattaient joyeusement, apparemment boudés par un majestueux cygne noir solitaire.

Une curieuse sphère métallique, faite de huit bandes, et montée sur une grande tige, dominait le centre de l'étang. John crut d'abord qu'il s'agissait d'une rose des vents, mais pensa ensuite qu'elle devait être purement décorative. Peut-être les oiseaux venaient-ils occasionnellement s'y poser.

Le millionnaire s'arrêta devant un rosier puis se pencha vers l'une des roses et en huma le parfum. Il resta un long moment absorbé dans cette contemplation olfactive. John n'osait rien dire, touché par le recueillement presque religieux du vieil homme. Au bout de quelques secondes, le millionnaire se tourna alors vers le jeune homme et dit:

— Si tu n'as pas réussi comme tu l'aurais souhaité, c'est en partie parce que tu n'as pas encore appris à te concentrer.

— Mais au contraire, je me suis beaucoup concentré.

— Tu n'as aucune idée de ce qu'est la véritable concentration.

— Alors dites-moi, qu'est-ce que la véritable concentration?

— Avance-toi, et regarde ce rosier... dit le millionnaire en désignant au jeune homme le rosier qu'il venait de contempler.

Il pointa du doigt une rose beaucoup plus grosse, plus développée et plus belle que les autres. John obéit, se demandant où voulait en venir le vieil homme. Après avoir regardé un moment la rose, le front plissé, un sourire timide au coin des lèvres, il se tourna vers le millionnaire et attendit la réponse. Mais vint plutôt une nouvelle question:

— A ton avis pourquoi cette rose est-elle plus grosse que les autres?

Embarrassé, John haussa les épaules et répliqua:

— Je... Franchement, je ne sais pas... je ne suis pas jardinier et je ne connais pas l'horticulture...

— Tu serais bien avisé de te mettre à son étude. Tu apprendrais sur la vie et sur les êtres des choses très intéressantes. Toutes les lois sont dans la nature, et celui qui sait lire les lois de la nature sait lire les lois de la vie. Alors observe à nouveau le rosier. Regarde cette rose immense.

John se plia de bonne grâce à cet exercice mais il en ressortit aussi bredouille que du premier, en se demandant du reste si le vieil homme n'était pas en train à nouveau de se moquer de lui, ce qui ne l'aurait pas surpris outre mesure.

— Je ne sais pas... C'est peut-être une question de chance.

— Non, dit le millionnaire, ce que les gens appellent la chance n'existe pas. Ce n'est qu'un autre nom de la loi de la compensation qui s'applique toujours. Une bonne action, une bonne pensée, un état d'esprit correct portent inévitablement fruits même si cela prend du temps. Car il existe une comptabilité céleste qui ne se trompe jamais et qui n'oublie rien. Simplement comme il s'écoule parfois beaucoup de temps entre une action et son résultat, on oublie la cause, on ne voit que l'effet, et on pense à la chance... Mais revenons à notre rose... Regarde-la à nouveau.

John obtempéra mais ne vit rien d'autre. De fines gouttes de sueur lui perlaient sur le front. Il avait vraiment l'impression d'être un idiot, car il ne trouvait rien, aucune explication à la croissance exceptionnelle de cette rose.

— Tu ne vois rien de particulier?

— Non...

— Si tu veux réussir en affaires ou dans n'importe quel autre domaine, il va falloir que tu développes ton sens de l'observation et de la logique. Beaucoup de millionnaires que je connais auraient déjà pu me donner la réponse que j'attends de toi, même s'ils ne connaissent rien à l'horticulture ou aux roses... Ceux qui réussissent voient des détails et découvrent des principes que les autres ne voient pas, et c'est pour cette raison que les hommes ordinaires croient qu'ils ont de la chance alors qu'en fait ils ne font qu'appliquer des principes bien précis...

Le vieil homme se pencha alors vers la branche du rosier sur laquelle poussait la rose d'une taille spectaculaire:

— Combien y a-t-il de roses sur cette branche?

La réponse était simple.

— Une, répliqua John.

— Et combien y en a-t-il sur celle-ci? demanda le millionnaire en désignant une branche portant plusieurs roses de taille beaucoup plus modeste.

John compta rapidement, puis fit:

— Une bonne dizaine au moins.

— Voilà pourquoi celle qui est seule sur sa branche est plus grosse. Cela n'est pas dû à la chance, mais au travail du jardinier, et en fait à la concentration. Regarde bien, dit-il. Approche-toi.

John se pencha sur la branche qui supportait plusieurs roses et le vieux «jardinier» lui montra alors, à la base de la tige, plusieurs boutons de roses.

— Tu vois, sur cette tige, il y a beaucoup de boutons. Je les ai laissés pousser librement, si bien qu'il en naîtra plusieurs roses.

Alors, du bout du pouce, il fit sauter un des boutons.

— Sur l'autre tige, j'ai fait systématiquement ce que je

viens de faire là. J'ai élagué tous les boutons pour n'en laisser pousser qu'un seul, celui qui était le plus prometteur. Le rosier lui a donné toute sa sève, tout son suc, et c'est pour cela qu'il est devenu une rose spectaculaire. C'est cela la concentration.

Le visage du jeune homme s'illumina.

— Ce qui est beau dans ce principe, ajouta le jardinier philosophe qui devançait la pensée du jeune homme, c'est que n'importe quelle rose aurait pu connaître le même sort si je l'avais choisie. C'est donc dire que n'importe quel individu peut transformer sa vie simplement en appliquant le même principe que j'ai appliqué à ce rosier. Car l'homme peut être pour lui-même le jardinier et la rose.

CHAPITRE 10

Où le jeune homme apprend à se concentrer

Le vieil homme s'approcha alors de l'étang et tira des grandes poches de son manteau des morceaux de pain qu'il jeta à l'eau, les lançant le plus loin possible. Les canards s'approchèrent et se les disputèrent. Le cygne noir, mystérieusement, restait en retrait comme s'il ne voyait pas le pain, ou comme s'il refusait de se nourrir en même temps que les autres volatiles.

— La vie de l'homme ordinaire ressemble à celle de ces canards, dit le millionnaire. Tous les jours, l'homme ordinaire est distrait par des amis, des parents, par lui-même aussi... Et dès qu'il est sollicité, il oublie. Il ne se souvient plus qu'il avait un but. Il veut une chose une journée et une autre le lendemain. Il court vers le pain et les jeux qu'on lui lance. Tandis que l'homme supérieur, l'homme averti est comme le cygne noir, symbole de la sagesse. Cet homme est concentré, il repose au centre de lui-même, et rien ne le distrait... La volonté de l'homme ordinaire est faible parce qu'il n'est qu'une série de petits mois différents qui la plupart du temps se contredisent... Ainsi toi, par exemple, combien de fois dans le passé as-tu voulu arrêter de fumer?

John, qui avait allumé sa cigarette distraitement, rougit et eut le réflexe de l'éteindre mais jamais il n'aurait osé la jeter dans les allées de la roseraie. Il eut un geste embarrassé. Il est vrai qu'au cours des années, il avait souvent voulu, sans succès, renoncer à la cigarette.

— Quatre ou cinq fois, dit John en réponse au millionnaire.

— Il est bien plus facile d'arrêter de fumer que de devenir millionnaire, dit le vieil homme.

— C'est vrai, je... Je devrais arrêter... Je sais que ce n'est pas bon pour moi... et que...

Le millionnaire le regarda alors droit dans les yeux et lui dit:

— Ne fume plus.

John ressentit une sorte d'onde, de courant électrique le pénétrer, et des frissons parcoururent son corps. Comme dans un état second, il tendit sa cigarette au millionnaire, qui la prit, la laissa tomber sur une dalle du chemin et l'écrasa.

— La concentration véritable, c'est le sacrifice.

— Le sacrifice? demanda le jeune homme qui était surpris de cette définition pour ainsi dire religieuse de cette disposition mentale.

— Oui, le sacrifice de toute autre activité. Que toutes tes pensées, toutes tes émotions, toute ton énergie, celle de ton corps, de tes nerfs, de tes fluides amoureux, tendent vers un seul but, un but unique. Que tout ton être désire ardemment la même chose, pendant des jours, pendant des mois, pendant des années, voilà ce que j'appelle le sacrifice.

En te concentrant, en t'appliquant inlassablement à la même activité, au même métier, tu atteindras un état où les idées lucratives, les idées bénéfiques et merveilleuses afflueront à ton esprit automatiquement. Ayant atteint la véritable concentration, tu iras au cœur de chaque problème presque automatiquement, comme le font les génies qui pensent sans penser et qui agissent sans agir. C'est pour cela qu'il est dit que lorsqu'on commence réellement à faire de l'argent, beaucoup d'argent, on se rend compte qu'il aura suffi d'entrer dans un état d'esprit particulier, qui ressemble à un jeu et non pas au travail ordinaire. En fait, le but véritable et secret du travail est de nous élever à cet état où toute réalisation est facile, où la richesse abonde, où le succès est à portée de la main...

Bien sûr, tu rencontreras des obstacles. Tout dans le monde, tout dans la nature s'oppose à la concentration. Nous vivons à l'ère des loisirs, des distractions. Et c'est pour cela qu'au bout de deux minutes, de dix minutes ou d'une heure, tu oublies et tu fais autre chose. Ton vieux moi se rebiffe. La lutte sera difficile au début, car sans le savoir tu combattras des habitudes plus anciennes que tu ne peux l'imaginer, des habitudes centenaires, millénaires. Mais avec le temps, les difficultés s'aplaniront. La concentration te mènera à la maîtrise de ton mental, et la maîtrise de ton mental te rendra maître de ta destinée... Lorsque tu seras vraiment concentré, tu développeras un amour immense pour tout ce que tu fais, tu deviendras comme un enfant complètement absorbé dans ses activités et pour qui ni le passé ni le futur n'existent... Tu te fondras dans l'amour immense du présent... Et tes triomphes seront remarquables car ce qu'on fait dans l'amour est invariablement couronné de succès...

Mais n'oublie pas qu'il ne faut pas utiliser à des fins égoïstes la méthode que je t'ai enseignée, car ce que tu enlèveras aux autres grâce à elle, c'est à toi que tu l'enlèveras, et tu t'égorgeras aussi sûrement que si tu voulais égorger quelqu'un avec la corde à laquelle ton propre cou est attaché...

Seulement comme la loi ne se réalise pas tout de suite, et qu'il faut du temps, souvent beaucoup de temps, tu ne t'en rendras pas compte immédiatement, tu croiras que tu t'es enrichi, alors que tu te seras appauvri et comme un aveugle qui marche vers un précipice en sifflant gaîment, tu te réjouiras dans la certitude d'avoir fait un bon coup...

Comme le vieil homme ne leur donnait plus de pain, les canards s'éloignèrent petit à petit. Et tout aussi mystérieusement qu'il s'était tenu à l'écart pendant que les autres accouraient, maintenant qu'il n'y avait plus de pain, le cygne noir s'approcha, comme si c'était son heure de manger.

Il posa sur le millionnaire son regard fixe et doux. Le noble volatile était presque immobile, et John se rendit compte, à pouvoir l'observer de plus près, combien il était beau. Ses yeux, qui avaient une expression presque humaine, sortaient complètement de l'ordinaire, et une grande sérénité s'en dégageait.

Le vieil homme sortit alors de sa poche un nouveau morceau de pain, s'agenouilla au bord de l'eau, et le cygne vint manger dans sa main. Le millionnaire le flatta affectueusement, et l'oiseau qui n'était pas farouche du tout, se laissa faire quelques secondes.

Il jeta alors à John un regard qui le troubla. Un regard si pur, si plein d'amour, que tout à coup John sentit que sa vie était petite, ses intérêts mesquins et que logeait dans cet oiseau une âme très élevée.

Le vieux jardinier, qui s'était relevé, se tourna vers John, et comme s'il avait lu dans ses pensées, il lui donna une petite tape d'encouragement sur l'épaule.

— Tu ressembles à ce jeune lionceau d'une vieille fable indienne, qui, très jeune, fut arraché à ses parents et élevé par des chèvres... Tant et si bien qu'une fois adulte, il se prenait pour une chèvre... Il mangeait comme une chèvre, même s'il n'avait pas des dents de chèvre, il essayait de bêler comme une chèvre, même si son rugissement n'avait rien de commun avec leur bêlement, et le jour où il rencontra un autre lion, il ne reconnut même pas en lui un frère de race, mais fut aussi effrayé que ses compagnes les chèvres... Il avait oublié sa vraie nature... La plupart des hommes sont ainsi... Ils sont des lions qui se prennent pour des chèvres et qui agissent comme des chèvres toute leur vie... Et ceux qui leur répètent qu'ils ne sont pas des chèvres mais des lions passent pour des fous ou des illuminés... Alors je te le dis: débarrasse-toi sans tarder de la chèvre, que le lion s'éveille en toi...

Alors le vieil homme pour mettre John à l'épreuve lui proposa un petit test, et lui demanda de se concentrer sur une rose. John s'exécuta sans se faire prier cependant que le millionnaire le regardait avec un air bienveillant. Au bout d'une minute environ, le millionnaire lui dit:

— Tu réussis très bien.

Le jeune homme se rengorgea, cessa de fixer la rose et se tourna tout de suite vers le millionnaire pour lui dire:

— Je vous remercie...

— Si tu étais vraiment concentré, le rabroua le millionnaire, tu ne m'aurais pas entendu parler, et ton esprit serait resté fixé sur la rose. Recommence.

Honteux de s'être ainsi fait attraper, John se concentra à nouveau sur la rose. «Cette fois-ci, se dit-il, rien ne me distraira. Même si le millionnaire me demande d'arrêter, je le narguerai, je lui tiendrai tête et je ne bougerai pas, je resterai fixé sur cette foutue rose. Nous verrons bien qui de lui ou de moi est le plus fort. Je n'ai pas dit mon dernier mot.»

Mais au bout de quelques minutes, alors que le jeune homme était parfaitement concentré, un bruit retentit devant lui. Un bruit qui évoquait étrangement le rugissement d'une bête sauvage, un lion ou quelque animal de cet acabit.

Surtout, ce rugissement répété se rapprochait de manière rapide et inquiétante. John abandonna l'exercice, leva la tête et aperçut un énorme lion qui s'avançait vers lui en proie, semblait-il, à des sentiments qui n'avaient rien d'amical. John crut devenir fou. Qu'est-ce qu'un lion pouvait bien faire ici, aux Etats-Unis, à Hampton, et surtout dans le domaine du millionnaire? John d'ailleurs se tourna vers lui, pour voir sa réaction, et fut surpris de constater qu'il demeurait parfaitement calme, comme si l'animal était un inoffensif chiot et non une terrible bête sauvage.

— Mais qu'allons-nous faire?

Pour toute réponse, le millionnaire se contenta de dire:

— Si tu étais vraiment concentré, tu n'aurais même pas entendu le lion venir.

— Et bientôt je me ferais dévorer par cette bête... Allons, dit-il en prenant le millionnaire par le bras, sauvons-nous.

— Mais non, voyons, calme-toi. Tu n'as rien à craindre.

Arrivé à quelques pas d'eux, le lion cessa de rugir et vint se frotter contre le vieil homme qui, de toute évidence, était son maître. Le millionnaire flatta longuement l'animal, plongeant ses longs doigts noueux dans son abondante crinière.

— Tu es une brave bête, Horus. Tu es une brave bête.

Et il lui donna une tape sur une fesse pour lui signifier qu'il pouvait repartir d'où il était venu, ce qu'il fit sans rugir, au soulagement de John, qui le regarda s'éloigner sans protester, se demandant quelle nouvelle surprise lui réservait l'excentrique millionnaire.

CHAPITRE 11

Où le jeune homme découvre la puissance de la foi

Lorsque le lion eut disparu au bout de l'allée, le vieil homme dit, en tendant l'index vers la curieuse sphère, au milieu de l'étang:

— Lorsque ta volonté sera devenue puissante par la pratique de la concentration, tu pourras réaliser de grandes choses, tu pourras même faire tourner cette sphère...

John parut sceptique. Cela confinait à la magie. Il savait que le vieil homme était sage, qu'il possédait une grande puissance mentale, mais de là à pouvoir faire tourner une sphère, à distance...

— Essaie.

Le jeune homme plissa les lèvres. C'était vraiment particulier comme requête. N'y avait-il pas là un nouveau piège, une attrape de plus? Le vieil homme lui avait donné la preuve depuis le début de leur rencontre, qu'il avait plus d'un tour dans son sac...

John l'interrogea du regard comme pour lui demander s'il était bien certain qu'il voulait qu'il se livrât à cet exercice curieux. L'autre hocha la tête avec un sourire. John fit un essai qui bien entendu échoua. Il se tourna vers le millionnaire qui lui dit alors:

— Ce qui rend la pensée puissante, c'est la fusion du grand moi et du petit moi. Pour opérer cette fusion, l'une des meilleures méthodes, la plus rapide et la plus simple, c'est la répétition des grandes formules magiques comme *Apaise-toi et sache je suis Dieu* et *De jour en jour à tout point de vue je vais de mieux en mieux*, ou encore, l'une que j'ai utilisée pendant des années: *De jour en jour à tout point de vue, je suis de plus en plus puissant, confiant, heureux et en santé*... Ces formules sont le «Sésame, ouvre-toi!» de notre puissance intérieure. Elles mettent à ton service ton génie intérieur dont je t'ai déjà parlé... Ton esprit est comme la lampe d'Aladin. Pour éveiller le génie qui y sommeille, au lieu de frotter la lampe comme dans le conte célèbre, il faut répéter les grandes formules... Alors le miracle se produit... Et tu deviens petit à petit ce que tu es, tu deviens le génie même de ta lampe... Car toi et lui ne faites qu'un, mais tu ne le sais pas... Tu le retrouves, tu *te* retrouves, et pourtant tu ne t'étais jamais perdu, pas plus que la femme qui retrouve à son cou le collier qu'elle cherchait désespérément ne peut dire qu'elle l'avait jamais perdu... La plupart des gens, au nom du réalisme, passent à côté de la vraie vie. Ils laissent tomber leur grand rêve. Ils se disent: «Il faut être réaliste...». En fait la vie véritable n'est que magie, pure magie car l'esprit humain peut tout, au sens littéral du mot... Et ton génie intérieur n'attend qu'un mot de toi pour te le prouver...

Alors le millionnaire se tut, et se tourna en direction de la sphère. Son visage devint grave. Ses yeux, qui étaient déjà brillants, s'allumèrent de feux encore plus vifs. Et à la grande surprise de John, au bout de quelques secondes la sphère se mit lentement à tourner.

John croyait rêver. Car enfin, entre la promesse que l'esprit était d'une puissance infinie et cette démonstration on ne peut plus concrète, il y avait évidemment un monde. Des frissons parcoururent le jeune homme, et une sorte d'étonnement sacré l'envahit, comme il arrive presque invariablement en présence de phénomènes qui dépassent notre entendement.

Pourtant un doute germa dans son esprit. Qui sait si le vieil homme, véritable maître des illusions, ne disposait pas de quelque contrôle à distance dissimulé... D'ailleurs, peut-être était-ce simplement le vent...

John regarda à côté de la sphère, mais l'eau de l'étang était parfaitement lisse et seuls la troublaient les mouvements lents des canards... Quant aux rosiers, ils étaient parfaitement immobiles. Pas un soupçon de vent...

La sphère se mit alors à tourner de plus en plus vite si bien que les espèces de lanières métalliques qui la constituaient disparurent dans le mouvement. Bientôt même, la sphère tourna si vite qu'elle parut s'arrêter.

Alors s'éleva une musique mystérieuse et belle. On aurait dit un choeur de voix angéliques, ou mieux encore une lente modulation du mantra Aum, réputé être le son primordial... John l'écouta attentivement, de plus en plus troublé. Sans qu'il eut su dire pourquoi, il sentait que cette musique était un véritable appel de l'âme... Un appel qu'il avait déjà ressenti, plus jeune, en entendant par exemple le célèbre *Concerto d'Aranjuez,* ou certaines musiques sacrées de Bach, ou même devant un sublime coucher de soleil ou un ciel profondément étoilé, mais un appel qu'il avait négligé.

Il se demanda d'ailleurs si ce n'était pas une tendance naturelle chez lui de toujours négliger les choses essentielles, les choses importantes, de les remettre à plus tard, comme l'on néglige l'être que l'on aime et reporte à plus tard la grande passion qu'on devrait lui vouer. Et un jour, il est trop tard, on l'a perdu, par sa propre faute, et l'on sait qu'on ne le retrouvera jamais. Des larmes montèrent aux yeux de John.

Pour ajouter au merveilleux de la scène, de très beaux oiseaux venus d'on ne savait où arrivèrent par bandes et se mirent à tourner autour de la sphère, comme envoûtés par la musique qui s'en échappait...

Les canards eux aussi semblaient attirés par cette étrange musique et vinrent former un cercle autour de la sphère. Ils tendaient le cou d'une manière curieuse, comme s'ils étaient troublés, ou en extase.

Au bout d'une minute environ, l'intensité de la musique diminua, et la sphère ralentit son mouvement pour bientôt s'arrêter complètement. Les volatiles, qui devaient être une bonne centaine, ne s'attardèrent pas et en quelques secondes étaient tous repartis, volant curieusement à la file, comme les oiseaux des toiles de Jérôme Bosch.

— Un jour, dit le millionnaire en arrachant John à sa rêverie, toi aussi tu pourras faire tourner cette sphère et produire cette musique céleste. Alors ta puissance sera considérable, mais en même temps tu devras ne désirer que ce qui est juste et bien pour toi et les autres... Il ne faudra jamais que tu te serves de ta puissance à des fins égoïstes ou mauvaises... Sinon la loi se retournera contre toi... Applique toujours la grande règle d'or: faire aux autres ce que tu voudrais qu'on te fasse... Et même, si tu peux, pousse plus loin cette grande loi, à la limite de sa logique: ne fais rien pour toi mais tout pour les autres... Ce dévouement suprême qui, je te le dis, est le but de toute existence, te conférera des pouvoirs considérables. Tu passeras pour le plus petit, le plus modeste d'entre les hommes, et tu seras en fait le plus grand... Chaque fois que tu seras malheureux, sache que c'est parce que tu t'es écarté de ce grand principe, et que tu auras obéi à ton vieux moi, qui est égoïste... Débarrasse-toi de ce vieux moi comme d'un vieux manteau d'hiver devenu inutile au printemps, et tu fouleras aussitôt le sable blond des Iles du Bonheur...

Le millionnaire marqua une pause puis dit:

— Essaie à nouveau de faire tourner la sphère. Pendant ce temps, je vais faire quelques pas dans le jardin.

Légèrement amorti par une ivresse dont il ne s'expliquait pas la cause — comme si la roseraie était en fait l'île des mangeurs de lotus de la célèbre Odyssée — John s'assit sur un banc de pierre qui se trouvait juste devant l'étang et se concentra sur la sphère cependant que le vieil homme s'éloignait d'un pas lent.

Il ne revenait pas encore que le vieil homme eût pu la faire tourner, par la seule force de sa volonté. Pourtant, une voix mystérieuse et lointaine, venue des profondeurs de son être, de temps plus anciens de sa Vie, lui murmurait comme une brise parfumée que ce n'était peut-être pas complètement impossible, que ce pouvoir n'était pas hors de sa portée...

Il redressa le dos — l'énergie, avait-il déjà lu dans quelque traité ésotérique, circulait mieux lorsque la colonne vertébrale était bien droite —, et fixa la sphère avec intensité. Il ne savait pas trop comment s'y prendre et se mit à donner des ordres mentaux à la sphère, comme à un être vivant, un animal domestique dressé depuis longtemps mais encore rebelle à l'occasion... Inlassablement, il répétait avec sa voix intérieure:

— Maintenant, sphère, tu te mets à tourner!

Mais la sphère, faisant fi de ses ordres, demeurait parfaitement immobile. Il s'appliqua ainsi pendant de longues minutes. Au bout de quelque temps, il se découragea, émit un bâillement, et se massa le front, comme frappé d'un début de mal de tête. Mais il songea alors que le manque de persévérance avait toujours été son véritable problème, que le génie est une longue patience et qu'il abandonnait toujours trop tôt — peut-être alors même qu'il était sans le savoir, sur le point de réussir. Il s'appliqua à nouveau, avec ardeur, et alors, à son étonnement ravi et craintif, la sphère se mit à tourner d'abord lentement, puis très vite et la musique commença à s'en élever.

Un mélange de joie et d'orgueil monta en lui. S'il pouvait maintenant déplacer des choses, que ne pourrait-il faire à l'avenir? Rien ne lui résisterait. Il irait de succès en succès.

Alors, exalté, et se voyant maintenant dépositaire d'une puissance surhumaine, John se dressa comme un ressort, et debout sur le banc de pierre, leva les bras au ciel et se mit à faire une petite danse de joie. Mais en tournant sur lui-même, son enthousiasme tomba d'un coup, et il baissa les bras, en se rendant compte de sa méprise.

Le millionnaire était debout devant lui, et les yeux brillant d'un éclat magnétique, il laissa tomber:

— *Practice makes perfect!*

Les joues empourprées par la honte, John s'empressa de redescendre du banc, et bredouilla:

— Je croyais que...

— Si tu crois vraiment, l'interrompit le vieux jardinier, tu y arriveras. La foi soulève des montagnes. Mais les hommes ne croient que ce qu'ils voient de leurs yeux de chair. Pour réussir, il faut que que tu aies la foi véritable qui te permet de voir ce que tu veux obtenir avant même de l'avoir obtenu, comme le paysan éclairé voit dans la simple semence les blonds épis de blé qui, l'été venu, illumineront son champ. Car la foi véritable n'est pas ce que l'homme ordinaire pense généralement. C'est simplement la vision intérieure des grandes lois spirituelles... Aussi l'homme spirituel a-t-il l'air de croire, alors qu'à la vérité il ne fait que voir ce qui est invisible aux hommes ordinaires aussi simplement que tu vois ces rosiers qui nous entourent et que tu peux déclarer à l'aveugle qu'ils existent réellement... Tous les millionnaires ont pensé ainsi au début de leur carrière, et c'est pour cette raison qu'ils ont souvent passé pour des fous ou des rêveurs.

Au milieu de l'étang, la vitesse de la sphère diminuait. Lorsqu'elle s'arrêta tout à fait, le vieil homme reprit:

— Mais il ne faut pas seulement avoir la foi, il faut aussi oser faire ce qu'on veut vraiment faire, et ne pas enterrer ses talents, comme dans la parabole de la Bible. Toi, poursuivit-il, pourquoi n'oses-tu pas faire ce que tu veux vraiment faire? Mais viens maintenant... ajouta-t-il sans attendre la réponse de John.

Il lui proposa de quitter la roseraie pour faire le tour du propriétaire. Encore sous le choc du phénomène très particulier auquel il venait d'assister, John suivit le millionnaire qui se dirigeait vers la sortie du jardin.

En repassant devant le seul rosier malade du jardin, le millionnaire s'attarda, comme il l'avait fait en entrant dans la roseraie, et laissa tomber d'une voix triste cette phrase sibylline:

— Chaque fois que je vois ce rosier, je pense à toi...

CHAPITRE 12

Où le jeune homme est nostalgique

Le soir, Henry, le valet, reconduisit John dans sa chambre, le précédant dans un somptueux escalier dont les murs étaient littéralement tapissés de tableaux auxquels le jeune visiteur ne manqua pas de s'intéresser. Les toiles figuraient des portraits de personnages célèbres, sauf la première qui représentait selon toute apparence un sage oriental, nommé Nityananda, jeune homme mince, presque maigre, au regard d'un douceur céleste, qui était enveloppé dans un châle de laine blanche. Une pensée était peinte à ses pieds: «Trouvez Dieu dans votre cœur».

Son voisin immédiat, le Maître Jésus, paré d'une tunique blanche, tendait l'index vers le ciel et disait: «Veillez et priez». Il côtoyait le grand philosophe Platon, qui, arpentant les marches d'un temple grec, déclarait: «Nul homme sérieux ne parle sérieusement des choses sérieuses». La ressemblance du vieux philosophe grec avec son voisin, Léonard de Vinci, frappa John qui la remarquait pour la première fois. Le génie universel de la Renaissance proclamait: «Si tu veux t'appartenir, sois seul».

Le peintre de la Joconde avait pour voisin le génie de l'automobile, Henry Ford qui, fixant sur les membres de son conseil d'administration ses yeux pénétrants, décrétait: «Tout ce que j'ai fait, je l'ai fait uniquement pour démontrer la puissance de la foi. Tout ce qu'on croit pouvoir accomplir, on peut l'accomplir». Il y avait aussi un magnifique portrait du vieux millionnaire, au milieu de sa roseraie. De manière prévisible, il parlait de roses et proclamait: «Tout réside dans le cœur de la rose».

John fut surpris de voir que le dernier membre de ce prestigieux aréopage n'était nul autre que la célèbre marionnette de Spielberg, E.T. qui, avec ses grands yeux nostalgiques, pointait son doigt lumineux vers le ciel, en disant d'une manière légèrement modifiée des dialogues du film: «*E.T. call Om...*». «*Home* », le mot du film, était orthographié comme le mantra Om...

Henry laissa John à la porte de sa chambre, une pièce immense qui à elle seule était deux fois plus grande que son appartement entier. Des porte-jardin donnaient sur un balcon, tandis qu'un lit circulaire occupait le milieu de la chambre dont le plancher était couvert d'un tapis si épais que John se fit la réflexion que s'il y échappait un soulier, il aurait de la difficulté à l'y retrouver. Deux têtes de lion hiératiques semblaient garder l'accès d'une grande cheminée noire, où dansaient les flammes d'un feu.

John alla tout de suite au balcon, d'où on pouvait apercevoir la magnifique roseraie, qui allait mourir au pied de la mer, dont les eaux jetaient des reflets allumés par la pleine lune. Inspiré par la douce brise marine, John pensa à la journée incroyable qu'il venait de vivre: l'étrange leçon de philosophie devant le rosier, la découverte de la sphère tournante, le lion Horus...

Puis sa pensée le porta vers Rachel, et des inquiétudes similaires à celles qu'il avait eues au moment de leur séparation revinrent le hanter. Que faisait-elle en ce moment? Quelle était la véritable raison de son voyage à Boston?

Voulait-elle réfléchir, comme elle le prétendait? Ou ne cherchait-elle pas à le préparer à une rupture qu'elle avait décidée depuis longtemps? Entre eux, il le savait, les choses n'étaient plus comme au début. Il pensa à leur première nuit. Pour célébrer le premier — et le seul — contrat intéressant qu'il avait décroché, John avait invité Rachel, qui n'était alors que sa secrétaire, à l'*Hôtel Plaza*.

Le prestigieux hôtel de la Fifth Avenue donnait ce soir-là une soirée rétro. Des couples nostalgiques s'y étaient donné rendez-vous en grand nombre et de vieux airs des années cinquante jouaient, habilement interprétés par un petit orchestre de cuivres.

Rachel adorait la danse. Ses pieds avaient des ailes, et tout son corps s'animait irrésistiblement dès qu'elle entendait les premières mesures d'une musique qui lui plaisait. Or elle avait des affinités particulières pour la musique de cette époque ce qui leur fit l'effet d'un hasard heureux. Ces airs lui rappelaient son enfance et ses parents décédés dans un accident de la route alors qu'elle n'avait que quinze ans.

Lorsque s'élevèrent les premières mesures de la célèbre chanson de Nat King Cole, *Unforgettable*, Rachel éprouva des frissons dans tout son corps et une nostalgie la gagna. Cet air avait été la chanson fétiche de ses parents, qui avaient toujours été très unis. Elle en connaissait par cœur les paroles.

— On danse? demanda-t-elle à John.

Il n'avait jamais brillé sur les parquets de danse, mais le champagne aidant — il n'avait pas lésiné pour impressionner Rachel et aussi pour la remercier car elle avait joué un rôle important dans l'obtention du contrat — il oublia un peu ses complexes de mauvais danseur, du reste accentués par le fait de danser avec une grande femme, fût-elle magnifique comme Rachel. Et ils s'avancèrent sur la piste.

Il y avait certainement entre eux une chimie particulière, une sorte d'harmonie profonde car malgré leur différence de taille d'ailleurs augmentée par les escarpins à talons aiguilles de Rachel — pauvre, elle n'en avait pas d'autres et avait dû se résoudre à les porter même au risque d'embarrasser John — ils formaient un très beau couple. En tout cas ils ne passaient pas inaperçus sur la piste de danse où, il faut le dire, ils étaient de loin les plus jeunes, car on aurait dit un véritable rendez-vous du troisième âge.

— Ils sont charmants, n'est-pas? dit Rachel qui avait toujours eu un faible pour les couples âgés.

— Oui.

— Regarde ceux-là, dit-elle en désignant un couple de septuagénaires avancés, peut-être des octogénaires, qui, très élégants et encore très droits, dansaient les yeux dans les yeux. Ils ont l'air amoureux. On dirait qu'ils viennent juste de se fiancer...

— C'est vrai. Ils sont adorables, dit-il, pensant lui aussi avec nostalgie à ses parents.

Dans son inexpérience de la danse, il s'efforçait de ne pas paraître gauche, troublé qu'il était par le parfum capiteux de Rachel, et par le simple fait de tenir sa main, de pouvoir pour la première fois presser son corps contre le sien. Il faut ajouter qu'elle portait une robe légèrement décolletée qui permettait à John d'admirer la naissance de sa poitrine délicate. Plusieurs fois, depuis qu'il l'avait embauchée, il avait pensé l'inviter au cinéma — son loisir préféré — ou à prendre un verre.

En fait, il en était tombé follement amoureux, dès le premier jour. Mais dès le premier jour, il avait eu des hésitations, des craintes, parce qu'elle était sa secrétaire.

Ne commettrait-il pas une erreur de nouer une liaison avec une femme qu'il employait? Et elle, quels étaient ses sentiments à son endroit? Si elle le repoussait, pourrait-il continuer de travailler avec elle, et elle avec lui? Son aveu ne créerait-il pas une situation fort embarrassante? Et ne risquerait-il pas de perdre une précieuse collaboratrice?

Pourtant, à de nombreuses occasions, il avait surpris certains regards de Rachel, des regards qui lui semblaient trahir sinon un sentiment du moins un intérêt. Mais comment savoir? Pourtant, ces tergiversations ne l'avaient pas empêché de poser un geste romantique, insensé: d'acheter à l'avance, chez *Tiffany*, la prestigieuse bijouterie, une très belle bague de fiançailles, comme s'il était persuadé que cette folie lui porterait chance.

Rachel s'était serrée contre lui, comme si elle sentait son trouble, ou comme si elle-même était troublée. Il la repoussa délicatement, et pendant de longs instants, ils se regardèrent dans les yeux. John sentit qu'il ne pouvait plus reculer, que le regard de Rachel était un aveu, un aveu qu'elle l'aimait elle aussi.

Il se pencha vers elle pour l'embrasser, mais au dernier moment, il se retint. S'il se trompait? S'il interprétait incorrectement les regards de Rachel, la «complicité» de son corps dont la taille s'arquait sous la pression de sa main de plus en plus audacieuse? N'avait-elle pas accepté son invitation par cette simple politesse d'une employée envers son patron? Et puis de toute manière, elle ne s'intéressait peut-être pas aux hommes plus petits, ce qui était bien légitime.

Il avait beau penser, comme Napoléon — son héros à une époque de sa vie —, que la taille d'un homme se mesurait à partir de la hauteur des épaules... Rachel avait bien le droit d'avoir ses propres opinions au chapitre de l'amour... Et comment une femme aussi belle qu'elle pouvait-elle s'intéresser à un homme aussi ordinaire que lui?

A la fin de la soirée, il l'avait raccompagnée chez elle, sans l'avoir embrassée, sans lui avoir déclaré son amour. Comme lui, elle habitait Brooklyn, un hasard que John avait interprété comme un signe supplémentaire du destin. A la sortie de l'hôtel, ils avaient entendu le tonnerre gronder, mais John avait cru bon de ne pas refermer tout de suite la capote de son toit. Il aurait le temps de raccompagner Rachel puis de se rendre chez lui avant l'orage.

Mais chemin faisant, l'orage — ou le destin — frappa.

John s'empressa de ranger la voiture, pour refermer le toit, mais une courroie coincée retenait la capote. Et lorsqu'il parvint à la libérer, Rachel et lui étaient tous les deux trempés. Rachel ne parut pas se formaliser de ce petit incident. En fait, elle riait, les cheveux mouillés, l'air heureuse. Le tonnerre qui grondait toutes les dix secondes leur inspira une frayeur toute naturelle et John, par prudence, suggéra:

— C'est dangereux. Allons chez moi. J'habite à deux pas. Une fois que l'orage sera passé, je te raccompagnerai chez toi.

Elle ne protesta pas. Il roula jusque chez lui, et ils se hâtèrent de monter à son appartement. En entrant, ils se secouèrent, et John remarqua que le rimmel avait coulé sous les yeux de Rachel.

— Pourquoi ris-tu? demanda-t-elle.

— Rien, ce sont tes yeux, ou plutôt tes joues.

Elle chercha un miroir, en trouva un accroché au mur du salon, se précipita et parut désolée du spectacle qui s'offrait à elle.

— Attends, dit John qui s'avança avec un mouchoir.

Et il entreprit de lui essuyer les yeux, troublé de pouvoir respirer l'odeur de son parfum que la pluie avait exacerbée. Alors tout se passa très vite.

Rachel se débarrassa de ses escarpins qu'elle avait regretté toute la soirée d'avoir mis et, plus petite de deux pouces, et confiante que cette différence insufflerait du courage à John, lui prit la main, comme pour lui signifier qu'elle se moquait maintenant éperdument de son rimmel, et qu'était venu le temps, si longtemps attendu, de passer aux choses sérieuses. Elle le regarda avec intensité dans les yeux.

John comprit que s'il ne l'embrassait pas à ce moment précis non seulement il la blesserait dans son orgueil de femme, mais peut-être il perdrait la meilleure occasion de briser la glace avec elle. La magie de la soirée qu'ils venaient de passer ensemble ne se répéterait plus. Rachel croirait peut-être qu'il n'éprouvait rien pour elle, et elle chercherait un autre compagnon. Alors il ne pensa plus à rien, alors il ne laissa plus ses doutes le retenir.

Dehors, un terrible coup de tonnerre éclata, et l'électricité manquant, les lumières s'éteignirent dans l'appartement. Rachel émit un petit cri de frayeur. John la serra contre elle, puis osa lui donner un premier baiser. Ils se débarrassèrent en hâte de leurs vêtements mouillés, s'allongèrent sur le plancher, et leur communion fut si profonde qu'ils se mirent à pleurer en se perdant l'un dans l'autre, comme s'ils se retrouvaient après une trop longue absence.

Ils s'attardèrent longtemps après l'amour. Une émotion très grande, presque religieuse, les unissait. Tendrement, ils se caressaient les cheveux, le visage, sans rien dire. Mais la gravité de leur extase fut interrompue lorsque, tout à coup, l'électricité revint, et les lumières s'allumèrent.

Ils éclatèrent de rire, un rire qui d'ailleurs se transforma en fou rire et qui ne s'apaisa qu'au bout d'un long moment. Ravigoté par ce rire, John se leva comme un ressort:

— J'ai faim, déclara-t-il.

Et pour la première fois depuis longtemps, il avait l'air heureux. Il disparut dans la cuisine, encore complètement nu, et Rachel admira sa course, son corps. Il était petit, mais elle le trouva très bien fait.

Elle aussi était rechargée par l'amour. Elle se leva, puis marcha dans le salon, explorant ce qui désormais — elle n'en avait pas de doute —, deviendrait son royaume, aussi modeste fût-il.

Car elle se moquait que l'appartement de John fût bien ordinaire. Elle s'occuperait de tout, peindrait, achèterait quelques fleurs, quelques meubles. Mieux encore, ils déménageraient. Ce serait un nouveau départ.

Son exploration la conduisit devant une commode de bois à l'entrée de l'appartement qu'encombraient différents objets. John y déposait ses clés, y laissait traîner le courrier non encore dépouillé, les dossiers et une foule de menus objets... Elle aperçut alors l'écrin de chez *Tiffany*. Elle eut une sorte de choc. Elle pressentit tout de suite ce que cette boîte contenait. Elle s'empressa de l'ouvrir pour vérifier si son intuition était juste. Elle ne s'était pas trompée.

La bague de fiançailles lui coupa littéralement le souffle. *Tiffany*, pensa-t-elle, submergée par l'émotion. Il est complètement fou! Il a dû payer cela une fortune. Mais c'était peut-être qu'il l'aimait follement! Alors de quoi se plaignait-elle? Et puis après tout, on ne se mariait qu'une fois, non?

John la surprit, écrin à la main, en revenant de la cuisine, où il n'avait rien trouvé à manger. Embarrassé, il toussa discrètement pour que Rachel notât sa présence.

Rachel s'empressa de refermer l'écrin et fit quelques pas de côté, puis s'arrêta devant une reproduction à laquelle elle feignit de s'intéresser. Toujours nu, John vint la serrer dans ses bras, l'embrassa sur la joue et déclara:

— Il n'y a rien dans ce foutu appartement. Qu'est-ce que tu aurais envie de manger?

— Ce que j'ai *vraiment* envie de manger? dit-elle d'un ton tendancieux en baissant d'ailleurs les yeux vers John.

L'allusion était évidente, et John, qui se sentait d'attaque, répondit, avec une lueur de défi dans les yeux:

— Oui, ce que tu as *vraiment* envie de manger.

Elle marqua une pause, comme pour ménager son effet, fit une moue coquine et déclara:

— Un immense *smoked meat* de chez *Schwartz*!

La vision de cette scène hanta encore un moment l'esprit de John. Comme les choses étaient simples, à cette époque, pourtant pas si lointaine! Que s'était-il donc passé? Pourquoi n'avait-il toujours pas demandé Rachel en mariage? Pourquoi ne lui avait-il pas encore offert cette bague payée si cher, et à laquelle, par délicatesse, elle n'avait jamais fait allusion?

Il quitta le balcon, rentra dans sa chambre, avisa un appareil téléphonique et décida d'appeler Rachel. Qui sait, elle avait peut-être devancé son retour, décidé d'abréger son voyage à Boston. Il laissa sonner quelques coups, mais tomba sur son répondeur, dont il écouta religieusement le message. Comme sa voix était belle, chaleureuse et lumineuse... Il raccrocha, sans lui laisser de message.

Il allait se préparer pour la nuit quand en entrant dans la salle de bain, il fut accueilli par un rugissement: Horus, le lion, était paisiblement installé sur le tapis posé devant le grand bain romain. John sursauta. L'animal avait beau être domestiqué, son maître n'était pas là pour le contrôler. Et qui sait s'il ne profiterait pas de son absence pour faire un bon repas de viande humaine?

Mais à son étonnement, au lieu de bondir ou même de remuer, le lion demeurait parfaitement immobile, comme absorbé dans sa contemplation mystique. John comprit sa méprise.

Le lion n'était qu'un gros jouet de peluche, une reproduction saisissante de Horus. Il examina le cadre de la porte et aperçut alors un bouton électrique, qui devait déclencher le rugissement, ce qu'il s'empressa de vérifier. Il sourit, amusé par l'ingéniosité du mécanisme. Décidément, le millionnaire était excentrique jusque dans les moindres détails.

Sa toilette faite, il se coucha et s'endormit dès qu'il eut posé la tête sur le moelleux oreiller du grand lit circulaire.

CHAPITRE 13

Où le jeune homme apprend le sens secret de la vie

Le lendemain, John se réveilla vers sept heures, dans une chambre inondée de soleil et embaumée par le parfum d'un bouquet de roses dont il n'avait pas noté la présence la veille, à moins qu'il n'eût été apporté à son insu pendant la nuit ou de grand matin. Il se doucha en vitesse, s'habilla et passa à la salle à manger, où le couvert était déjà mis. Assiettes, bols, ustensiles, tout étincelait de l'éclat de l'or massif qu'accentuait encore une nappe d'une blancheur immaculée.

John n'osa pas s'asseoir tout de suite, aperçut une cloche sur la table, la fit tinter et attendit. Mais personne ne parut ce qui lui sembla étrange car la veille de nombreux domestiques s'affairaient dans le château. Il sonna à nouveau, puis comme il avait l'estomac dans les talons et que son appétit était allumé par la vue d'une boîte de *Corn Flakes* — son petit déjeuner préféré depuis son enfance! —, il résolut de passer à table immédiatement.

A sa surprise, lorsqu'il s'assit, une très belle musique classique, l'*Ouverture en Do majeur* de Bach, s'éleva dans la salle à manger aux murs lambrissés d'or. Il se releva aussi vite qu'il s'était assis, et la musique s'interrompit du même coup.

Soupçonnant un autre mécanisme, comme dans la salle de bain, il examina sa chaise, en fait un fauteuil, puis exerça sur le siège coussiné une pression qui déclencha la musique et fleurit d'un sourire ses lèvres admiratives. Décidément, c'était le luxe insolent!

Il se rassit et, l'oreille charmée par les nouvelle mesures d'un concerto de Bach, se servit une généreuse portion de *Corn Flakes,* l'inonda de lait, mais au moment de soulever, avec une excitation mêlée de respect, sa belle cuillère d'or, il entendit un curieux lapement.

Intrigué, il regarda le dessous de son ustensile, se demandant si sa cuillère n'était pas elle aussi munie d'un mécanisme secret, comme sa chaise, mais ne vit que le reflet déformé de son appendice nasal. Il déposa sa cuillère sur la table, et fut surpris de constater que les lapements cessaient. Mais ils reprirent aussitôt, et en se penchant à sa gauche, John comprit, ravi, d'où ils provenaient.

Il vit en effet près de lui un mignon lionceau qui buvait son lait dans un grand bol d'or. Le petit fauve, moustaches blanchies de lait, cintré dans un justaucorps rouge, se régalait en battant de la queue, comme l'animal le plus heureux du monde.

Un instant charmé par cette vision, mais espérant que le père du lionceau ne viendrait pas le retrouver, John se hâta de manger ses céréales puis laissa là le petit carnassier et alla au jardin, dans l'espoir d'y retrouver le vieil homme.

— Pourquoi n'oses-tu pas faire ce que tu veux vraiment faire? Quel peur te retient? lui demanda sans préambule le millionnaire qui effectivement était déjà dans sa roseraie à laquelle il consacrait presque tous ses soins matinaux.

Il avait prononcé ces mots sans animosité, sans aucune ironie mais avec cette autorité qui chez lui n'était qu'un visage de l'amour. La question, inattendue et grave en ce matin ensoleillé, fit mouche. Pourquoi John n'osait-il pas faire ce qu'il voulait vraiment faire? N'avait-il pas, comme dans la parabole de la Bible, enterré ses talents au lieu de les faire prospérer?

— Tu as peur?

— Non, enfin, oui, peut-être... parce que mon rêve, il faut que je vous le dise, c'est de...

Et après une ultime pudeur:

— C'est d'écrire un scénario. Un scénario qui ferait un grand film. Mais... Je ne sais pas si je pourrai réussir à faire fortune dans ce domaine... Ce n'est pas facile... Je ne connais personne, et je n'ai jamais écrit de scénario...

— Crois-tu que ce soit plus difficile que d'aller sur la Lune?

— Non, je...

— On peut réussir à faire fortune dans n'importe quel domaine. Il y a des milliers de preuves de cette loi. Il faut oser être soi-même et suivre sa voix intérieure. Car chaque homme vient sur Terre avec un plan de vie précis. Lorsque je dis qu'il est précis, cependant, je ne dis pas que chaque être en est conscient. En fait, la conscience qu'un être a de son plan de vie est directement proportionnelle à son degré d'évolution et à l'âge de son âme... Plus l'âme incarnée est vieille, plus elle conserve un souvenir précis de ce qu'elle vient faire sur Terre... C'est une des raisons pour laquelle beaucoup de prodiges et de génies, qui sont des âmes avancées sur le chemin, sont souvent très précoces, et ont dès l'âge de quatre ou cinq ans une idée très précise de ce qu'ils veulent faire... Pour l'homme ordinaire, le plan se dégage en général plus tard... Ce qu'il y a de rassurant cependant, c'est que le plan de vie étant déterminé par l'âme et par ses guides avant qu'elle ne s'incarne, l'âme se retrouve presque invariablement dans des conditions et un milieu qui lui permettront de réaliser ses ambitions... Même les obstacles qui sont placés sur notre chemin, les êtres qui en apparence nous compliquent l'existence et s'opposent à nos plans, sont en fait des aides... Ce sont eux qui nous permettent de tremper notre caractère, d'affirmer notre foi, et de tester notre persévérance. Car la vie n'est qu'un immense temple initiatique où toutes les âmes sont des maîtres les unes pour les autres.

Pour l'âme moins avancée, et qui est davantage prise dans les ténèbres du monde extérieur, il faut qu'elle entre en elle-même et qu'elle demande de l'aide, avec sincérité, car il a été dit: «*Demandez, et vous recevrez, frappez et on vous ouvrira*». Souvent, au bout d'un moment, l'âme en détresse, touchée par la lumière intérieure, comprendra la perfection profonde de sa situation, elle comprendra que l'aide était déjà là, subtile et mystérieuse... Seulement elle ne s'en rendait pas compte... Car les guides travaillent en général de manière incompréhensible, et ce qui nous semble une terrible épreuve est souvent la manière la plus rapide — parfois la seule dans le temps alloué —, de nous faire évoluer, de polir notre personnalité jusqu'à ce qu'elle devienne ce qu'elle a toujours été, ce diamant immortel qui brille comme la lumière de mille soleils... Mais toi, qui crois-tu que tu sois? Sur l'échelle des âmes, où te trouves-tu?

— Je sais ce que je veux, mais je...

— C'est déjà un grand pas que de posséder cette intuition, cette certitude intérieure... Maintenant, si tu veux que ton destin s'accomplisse, il faut que tu oses. Tu dois avoir l'audace de devenir ce que tu es. Car cela personne ne peut le faire à ta place... Et si tu ne le fais pas, peu importe tes réalisations matérielles et tes succès mondains, tu traîneras un sentiment d'échec qui te rongera toute ta vie et qui, aussi sûrement qu'un cancer, viendra à bout de ta joie.

John écoutait avec grande attention. Rarement lui avait-on parlé ainsi. Les paroles du millionnaire lui paraissaient venir de loin, de très loin, d'aussi loin que sa propre âme. Comment se faisait-il qu'il le connût avec une lucidité si inquiétante? Le millionnaire reprit:

— Ton plan de vie n'est pas seulement d'écrire des scénarios, ce qui serait vain... Il faut que ce que tu écriras montre ce qu'il y a de grand dans l'homme... Tu dois montrer comment l'homme peut accéder à sa propre grandeur, comment il peut retrouver sa noblesse perdue, comment, de chèvre il peut redevenir lion.

Montre que Dieu réside en chaque homme, et que chaque fois qu'il l'oublie, chaque fois qu'il voit différemment sa vie, son propre être et celui des autres, il devient l'artisan de son propre malheur.

Montre qu'en gardant constamment devant lui un idéal de perfection, de grandeur, de lumière et d'amour, l'homme accomplit son destin et s'entoure de vibrations qui le gardent jeune, beau, lumineux, et lui ouvre la porte merveilleuse de tous les accomplissements.

Montre aux hommes qu'ils peuvent vivre une vie parfaite, une vie d'abondance où chaque chose arrive en temps et lieu, où la coupe du vin éternel est toujours pleine, que nulle lèvre ne peut vider ni même entamer.

Plusieurs fois, tu seras tenté de t'écarter de ta voie, parce qu'il est difficile de suivre son plan de vie... Mais si tu t'en écartes, tu ne seras pas heureux... Alors reviens-y courageusement. Et chaque fois que tu es malheureux, dis-toi que cela est peut-être un signe que tu t'es écarté de ton plan...

Alors, entre en toi-même, demande conseil à ton génie intérieur, à tes guides, et en attendant la réponse, si elle tarde, fais du bien à une autre personne, aide quelqu'un... Tu accumuleras ainsi des mérites, tu feras des provisions de bonheur aussi sûrement que l'été le paysan engrange le blé pour les longs mois de l'hiver. Et rappelle-toi que le service le plus grand, le service ultime est d'apprendre aux autres à découvrir la vérité, qui elle seule les rendra libres, qui elle seule les rendra heureux...

Henry, le valet, vint les trouver au jardin et leur demanda s'ils souhaitaient prendre des consommations.

— Nous allons boire le vin de l'adieu, mon cher Henry, dit le millionnaire.

— Très bien, monsieur, répliqua Henry qui se retira aussitôt.

A ces mots, John comprit non sans tristesse que son merveilleux séjour chez le millionnaire tirait à sa fin, ce dont il ne pouvait certes se plaindre car il avait le sentiment d'avoir déjà abusé de sa bonté.

Le millionnaire demanda alors à John de lui montrer sa main ouverte. Intrigué, mais n'osant le questionner, John obéit, et lui tendit sa main droite.

— La gauche, le reprit le vieil homme qui regarda sa main avec une grande attention avant de la lui rendre.

Puis après un moment de silence, comme s'il cherchait à interpréter les signes qu'il venait de lire dans la main du jeune homme, il dit:

— Il te faudra du temps, beaucoup de temps, avant de réaliser tes ambitions.

— Pourquoi? demanda John avec un certain découragement.

— Parce que ta nature est encore indisciplinée.

— Il n'y aurait pas moyen d'accélérer les choses? demanda le jeune homme, plutôt pratique.

— Oui, mais il y a un prix à payer alors...

— Je suis prêt à le payer.

Le millionnaire eut un rire curieux:

— Tu parles de manière bien inconsidérée. Si tu connaissais ce prix, peut-être ne parlerais-tu pas ainsi.

— Dites-le moi alors...

— Je ne peux te le révéler... Tu découvriras cette épreuve seulement au moment où tu la vivras... C'est une loi que je ne peux contourner... Mais je peux par contre, si tu le désires *vraiment*, accélérer les choses pour toi...

Après une hésitation, d'une voix fébrile, John dit, sans trop pouvoir mesurer l'impact de l'assurance qu'il s'apprêtait à donner:

— Je le désire vraiment.

Le millionnaire le considéra un instant, comme pour sonder la sincérité de ses paroles, parut satisfait, sonna le serviteur qui accourut, et lui dit simplement:

— Je vais voir ce que je peux faire, répéta-t-il et il fit quelques pas, pour aller s'asseoir à une table de pierre de la roseraie que John n'avait pas remarquée.

Peu de temps après que les deux hommes y eurent pris

place, Henry revint avec une carafe de vin en or ciselé, incrustée de pierres précieuses ainsi que deux coupes d'or semblables à des calices qu'il posa avant de les emplir de vin rouge.

— Buvons, dit le millionnaire, maintenant.

Et les deux hommes vidèrent leur coupe. Puis le millionnaire se leva, et John comprit qu'il était temps pour lui de partir.

— Quand nous reverrons-nous?

— Lorsque le temps sera venu... Edgar te déposera où tu veux.

Quelques minutes plus tard, sur le perron du château, John, prêt à partir, tenait le vieux coffret qui contenait la radio usée et que, la veille, lui avait remise le millionnaire avant de monter dans la limousine — qu'Edgar avait d'ailleurs avancée. Avant de s'y engloutir, John serra la main du millionnaire, tout en le remerciant pour tout ce qu'il avait fait pour lui. Le vieil homme, qui ne faisait rien comme les autres, garda très longtemps la main de John serrée entre ses mains. Il le regarda droit dans les yeux, de son regard profond, mystérieux et extraordinairement lumineux et, avant de lui rendre sa main, il lui dit d'une voix grave, comme un message d'adieu:

— Tu réussiras. N'abandonne jamais. Jamais. Jamais.

CHAPITRE 14

Où le destin du jeune homme s'accomplit

John s'engouffra dans la limousine et regarda le plus longtemps possible le millionnaire qui, sur le perron, agitait la main et souriait avec une certaine nostalgie comme s'il regardait son fils partir. Puis, il le perdit de vue, et il admira une dernière fois la beauté du vaste domaine de son hôte.

En le traversant, il revit Horus, qui marchait lentement dans un champ, cependant que gambadait derrière lui le petit lionceau qu'il avait vu le matin dans la salle à manger. Il aperçut également une lionne, qu'il supposa être la mère du petit, et qui selon toute vraisemblance complétait la famille.

Il avait baissé la glace de la limousine. Cheveux au vent, le vieux coffret sur les genoux, il était exalté par son séjour chez le millionnaire et par l'assurance qu'il lui avait donnée qu'il réussirait à devenir scénariste. Mais il s'assombrit tout à coup à la pensée des dernières paroles du vieil homme. Il se demanda vaguement quel pouvait bien être le prix qu'il devrait payer pour réaliser son rêve.

Il se rappela alors ce que lui avait dit le millionnaire au sujet du vieux coffret et de la radio qu'il contenait: «Tout ce que l'esprit humain conçoit et croit qu'il peut réaliser, il peut le réaliser». «Donc, se répéta John, si je crois vraiment que je peux devenir scénariste et vendre mes scénarios, je le peux, et rien ne pourra m'arrêter.» Il ouvrit le coffret mais en voyant la vieille radio, la nostalgie s'empara de lui, comme cela avait été le cas à l'aller, et il pensa à nouveau à son père. Il eut une longue et douloureuse réminiscence.

C'était le jour de son anniversaire et il s'était rendu au bistrot en compagnie de Rachel, pour le fêter, avec un magnum du meilleur champagne et une belle cravate de soie. En entrant au bistrot, il sentit tout de suite que quelque chose d'anormal se passait. Les clients, peu nombreux, allongeaient des visages atterrés, et lorsqu'il entra, avec Rachel, ceux qui le connaissaient pour l'avoir occasionnellement vu, lui lancèrent des regards étranges, sourirent maladroitement. Ni son père ni Madeleine n'étaient au bar, ce qui parut étrange à John qui connaissait les colères dans lesquelles entrait son père dès que le comptoir était déserté une seconde.

John se pressa de passer à l'arrière-boutique où il aperçut son père, cravaté, installé dans son fauteuil préféré. Il crut d'abord qu'il dormait.

Il aperçut alors Madeleine, qui était assise, pour mieux dire effondrée sur une chaise, récepteur téléphonique en main, le visage baigné de larmes. Alors il comprit. Il laissa tomber ses paquets — la bouteille de champagne éclata en touchant le sol —, et se précipita vers son père. Il cria :

— Papa! Papa! Non, ne pars pas, tu n'as pas le droit... Tu es fort, tu es fort... Il faut que tu combattes! Il faut que tu reviennes! Reste, je t'en supplie, je t'en supplie...

Il s'empressa de dénouer sa cravate, puis le col de sa chemise, et le secoua, dans l'espoir de le ranimer. Mais en touchant son cou, puis son visage, qui était déjà froid et cireux, il comprit que tout était fini. Et un moment il resta silencieux, devant la gravité de la mort.

— Tu ne lui as pas donné ses pilules? dit-il en se tournant vers Madeleine avec un ton de reproche.

Elle essuyait ses larmes, toujours affalée sur la chaise, le récepteur téléphonique en main.

— Je ne les ai pas trouvées... Je les ai cherchées partout...

Avisant la main gauche de son père qui était fermée, il parvint à l'ouvrir malgré un début de raideur, et la bouteille de pilules qui aurait pu le sauver tomba au sol. John comprit pourquoi Madeleine n'avait pas trouvé les pilules. Ce fut un nouveau choc pour lui. A tort ou à raison, il comprit que son père avait probablement voulu mourir. Il avait voulu mourir parce que lui, son fils unique, n'avait pas accepté sa proposition de venir travailler au bistrot. Et une énorme vague de culpabilité monta en lui.

Comme pour se faire pardonner, il céda à l'inspiration qui s'empara alors de lui. Il ramassa la boîte qui contenait la belle cravate neuve, l'en retira, dénoua la vieille cravate de son père — celle-là même que, depuis ce jour, il portait si souvent —, et la remplaça par la nouvelle qu'il noua délicatement. Puis comme pour compléter sa dernière toilette, il prit son peigne et le coiffa, replaçant ses beaux cheveux blancs. Il avait toujours trouvé son père beau. Et c'était la première fois, depuis qu'il était adulte, qu'il pouvait ainsi le toucher, le caresser.

Lorsqu'il eut fini, il se pencha vers son père, les yeux emplis de larmes, et l'embrassa sur le front. Puis cédant à son émotion, il lui serra la tête contre sa poitrine. C'était fini, il le savait. Mais il voulait pour ainsi dire arracher à son père une dernière tendresse, avant qu'il ne fût placé dans un cercueil. Et pendant quelques instants, il se revit, enfant, avec son père, au bistrot, à l'époque où tout était simple...

Il relâcha enfin son étreinte, recula de quelques pas, et vit alors l'enseigne que son père avait peinte: *Chez Blake, père et fils*. Son père en avait retiré la housse, et ce détail ne fit que confirmer à John qu'il s'était volontairement laissé mourir, parce qu'il savait que son rêve ne se réaliserait jamais. A ce moment, Rachel s'approcha de lui, et lui prit la main, sans rien dire. Il la regarda. Elle était maintenant le seul être qui comptât dans sa vie.

Son souvenir s'effaça et le chauffeur le déposa bientôt chez lui. En comparaison du château où il venait de séjourner, son appartement lui parut bien exigu, à la vérité minable. Et il se prit à rêver que si ce que le millionnaire lui avait prédit se réalisait, peut-être lui aussi, un jour, vivrait-il dans une maison somptueuse.

Il posa le vieux coffret sur la commmode de l'entrée, y aperçut une cartouche de ses cigarettes préférées, des *Marlboro*, et prit conscience à ce moment qu'il y avait des heures que non seulement il n'avait pas fumé, mais n'y avait même pas pensé. Etonnant, pensa-t-il. Le vieil homme, par un simple ordre qui résonnait encore dans sa mémoire, «Ne fume plus!» semblait l'avoir définitivement guéri de cette habitude tenace dont il avait tenté plusieurs fois de se débarrasser.

Il s'empressa de téléphoner à Rachel, qui n'était toujours pas de retour et ce ne fut que le lendemain en entrant à l'agence qu'il la trouva, déjà au travail. Comme il était heureux de la retrouver. Jamais elle ne lui avait paru plus belle, plus désirable. Il s'inquiétait encore du résultat de son petit voyage de réflexion. Avait-elle décidé de le quitter? Ou à la place préférait-elle donner une seconde chance à leur couple qui depuis quelque temps battait de l'aile?

Elle portait le même ensemble que le premier jour, un tailleur noir qui lui allait à ravir et mettait subtilement en évidence ses longues jambes fines, et ce détail troubla John. Elle se leva pour l'accueillir, il lui sauta au cou, et la serra très fort dans ses bras, du plus fort qu'il ne l'eût jamais serrée, au point de l'étouffer presque. Il eut follement envie de lui dire qu'il l'aimait comme il n'avait jamais aimé aucune autre femme, mais une pudeur le retint, comme la crainte superstitieuse de tout gâcher en déclarant sa passion, et à la place, il se contenta de dire:

— Tu m'as tellement manqué!

— Toi aussi.

— On dirait que tu es partie depuis un siècle.

— Tu trouves que j'ai vieilli? le taquina-t-elle, en se passant la main sur une joue, comme si le temps eût flétri sa peau satinée.

— Non, dit-il et je vais te le prouver.

Et alors, il s'empressa de mettre à la porte de l'agence l'affichette qu'il utilisait parfois lorsqu'il était seul et devait s'absenter: «De retour dans cinq minutes».

— Un siècle ou cinq minutes, le taquina encore Rachel, qui n'eut même pas le temps, avant de recevoir les assauts de John, de débarrasser son bureau où il la renversa passionnément.

Le téléphone sonna juste au moment où ils s'effondraient dans les bras l'un de l'autre, brisés par la volupté.

— Agence Blake, dit Rachel en tentant de son mieux de cacher son essoufflement. Oui, non, non, je viens de monter un escalier. Merci, pas de problème. J'ai le cœur solide à mon âge. Non, il est occupé avec un client... Mais je ne crois pas qu'il y ait de problème, je consulte son agenda un instant.

Elle fit mine de consulter un agenda imaginaire, regardant plutôt avec complaisance John dont l'anatomie manifestait encore des vestiges d'ardeur virile, et dit:

— Oui, pas de problème. Il est libre. Ah oui, pour tenir la forme, il la tient. Il va vous faire un truc aussi brillant que la première fois. Je lui fais le message sans faute dès qu'il rentre, je veux dire dès qu'il sort de réunion.

Elle raccrocha, eut un fou rire que John partagea, puis laissa échapper un soupir, et dit, en se passant la main dans les cheveux:

— C'est mieux qu'un café le matin pour se réveiller.

— En effet.

— C'était Monsieur Roger au téléphone. Tu te souviens de lui?

— Oui, notre seul contrat payant.

— Il veut que tu passes à son bureau après midi. Ça a l'air important.

— *Alright!* Je savais que les affaires allaient reprendre.

John entreprit de se rhabiller, et Rachel le fit hésiter un instant en lui touchant les lèvres du bout des doigts et en lui demandant, un air sensuel dans les yeux:

— Tu ne prendrais pas un autre café?

— Oui, mais plus tard, il ne reste plus de... sucre.

Rachel éclata de rire comprenant le mot plus tendancieux que, à la dernière seconde, comme sous le scalpel d'un éditeur puritain, il avait remplacé par un autre, anodin — et du même coup plus drôle:

— D'accord. Je t'allume une cigarette.

Elle avait pris l'habitude, même si elle n'avait jamais fumé, de lui allumer une cigarette après l'amour, comme par reconnaissance, pour le remercier, invariablement éblouie et étonnée, en comparaison de ce qu'elle avait connu dans des bras plus égoïstes, des attentions quasi excessives dont il la couvrait pour s'assurer qu'elle connût chaque fois le bonheur.

— Non merci. Je ne fume plus.

— Ah bon...

— C'est le vieux millionnaire qui m'a fait arrêter, celui qui m'a donné vingt-cinq mille dollars. Je l'ai revu pendant ton absence, expliqua John qui achevait de se rhabiller.

— Tu ne m'avais pas dit qu'il était mort?

— Non... Enfin je le croyais moi aussi, mais je m'étais trompé... Il m'a prédit que je réussirais, que je pourrais réaliser le rêve dont je t'ai parlé...

— Ecrire un scénario?

— Oui.

— Je le savais aussi. Je te l'avais dit. Mais tu ne me croyais pas.

— C'est vrai... je... Mais maintenant je sais que c'est possible... Et j'ai même trouvé mon idée. J'ai pensé tout simplement de raconter ma rencontre avec le millionnaire. C'est vraiment un homme extraordinaire, un véritable magicien. Alors ce que je me propose de faire, c'est de séparer mon temps en deux. Je vais écrire quelques jours par semaine, et le reste du temps je vais m'occuper de l'agence...

— C'est une excellente idée.

Rachel, défroissant sa jupe que John s'était contenté de relever sur ses hanches, le regarda amoureusement, et se félicita surtout intérieurement qu'il eût retrouvé sa gaîté envolée depuis la mort de son père. Elle avait été heureusement inspirée de faire ce petit voyage chez sa copine. La distance avait rallumé la flamme vacillante de John. Maintenant, elle en était sûre, il ne tarderait plus à lui faire la grande demande et à lui offrir cette bague magnifique qu'elle avait vue à son appartement, leur première nuit.

En rattachant le dernier bouton de la veste de son tailleur, Rachel devint tout à coup très pâle, et s'assit sur la chaise la plus proche.

— Tu ne te sens pas bien? lui demanda John.

— Heureusement que nous ne disposions que de cinq minutes... Tu m'as presque tuée...

— Non, sérieusement...

— Ah, ce n'est rien, dit-elle avec un certain embarras, je n'ai pas déjeuné ce matin, je dois avoir besoin d'un peu de sucre... Je pense que je fais de l'hypoglycémie... C'est ce que ma copine de Boston prétend.

— Ne bouge pas... Je vais te chercher un jus au coin...

Sur le trottoir, il aperçut trois skinheads qui s'en prenaient à une femme d'une quarantaine d'années, portant d'épaisses lunettes, et à la mâchoire très volontaire, presque masculine. Celui qui paraissait être le chef de la bande tirait sur son sac à main, et la quadragénaire, téméraire et obstinée, se débattait au lieu d'abandonner son sac.

Mais le voyou parvint enfin à le lui arracher et, pour se venger de sa résistance, la gifla, si bien qu'elle perdit ses lunettes. Myope, elle se pencha sur le trottoir pour les retrouver pendant que le skinhead prenait la fuite en rigolant de son bon coup avec ses deux acolytes. John eut une hésitation puis, scandalisé, poursuivit les skinheads, les rattrapa et plaqua vigoureusement leur chef, qui échappa le sac. John le récupéra, et une fois debout, dut faire face à un voyou surpris de son audace.

Humilié devant ses deux assistants, il se releva, l'écume aux lèvres. Il avait renversé une poubelle dans sa chute, et nettoyait avec agacement son pantalon, artistiquement rapiécé:

— Tu as sali mon tuxedo, *man. Big mistake!* Qu'est-ce que

c'est ton problème, pauvre con? Tu empêches les braves gens de gagner leur vie honnêtement. Je ne touche pas d'assistance sociale moi, et je ne vole pas les gens dans leur dos comme les politiciens. Je les vole au grand jour. Alors tu vas me faire le plaisir de me redonner ce sac tout de suite.

John ne se sentait pas très gros dans ses souliers. Il était seul, ils étaient trois, l'air menaçant, le regard vitreux et fou comme celui des drogués. Mais il pensa que l'avant-veille, il avait vu un lion véritable foncer dans sa direction, et qu'il n'en était pas mort. Il se rappela ce que lui avait dit le millionnaire à la terrasse du café, que dans la vie on s'en faisait bien souvent inutilement. N'était-ce pas une occasion idéale de voir si ce principe s'appliquait?

— Oublie ça. Et va plutôt te trouver un travail, dit-il au skinhead en tentant de dissimuler de son mieux son extrême nervosité.

— Un travail?

— Oui, dans un cirque. Je suis sûr que tu pourrais trouver quelque chose comme bouffon.

Irrité, le skinhead tira de sa poche un couteau à cran d'arrêt dont il fit briller la lame avec une dextérité inquiétante.

— C'est toi qui vas sourire jusqu'aux oreilles comme un bouffon si tu ne me donnes pas ce sac immédiatement.

La vue du couteau rendit John encore plus nerveux. Maintenant c'était sa vie qui était en jeu. Cela valait-il la peine, pour un simple sac à main? Il décida de bluffer, éclata de rire et déclara, en faisant vers le skinhead le geste de s'approcher:

— Ça tombe bien, il y a longtemps que je n'ai pas tué quelqu'un. Avec un couteau, ça va être plus amusant.

Le skinhead eut une hésitation, regarda ses acolytes qui avaient reculé en même temps, comme pour voir ce qu'ils en pensaient. Comment un homme de si petite taille pouvait-il se montrer si audacieux, si ce n'est qu'il était vraiment fort? Lorsqu'il vit John s'avancer vers lui, souriant, et continuant de le solliciter de la main, il crut qu'il avait affaire à un fou ou à un tueur ou les deux à la fois — on ne sait jamais à qui on a affaire à New York! — et préféra ne pas prendre de chance:

— Venez, les gars, on lui fera la peau une autre fois.

Et ils tournèrent tous les trois les talons. Pris par une nervosité à retardement, John, qui s'était mis à trembler, et dont le cœur battait à tout rompre, s'appuya contre un mur et, portant sa main libre à sa poitrine, tenta de retrouver son calme. Un passant aux tendances évidentes, un anneau d'or à une l'oreille et un faux diamant piqué dans le lobe de l'autre, passa devant lui, et en voyant son sac à main, ralentit, croyant avoir affaire à quelque travesti égaré dans le quartier. John lui plut immédiatement si bien qu'il lui sourit en lui demandant d'une voix efféminée:

— As-tu envie de prendre un café?

— Non, merci, dit John, qui mit une fraction de seconde à comprendre la méprise, le temps de se rappeler qu'il avait un sac à main au bras, comme une femme. Je viens d'en prendre un.

Et il s'empressa d'aller retrouver la pauvre femme qui venait enfin de retouver ses lunettes et les remettait en se redressant. Le visage de son sauveur la ravit, et faisant un large sourire qui découvrait une dentition aussi chevaline que sa mâchoire, elle demanda à un John à qui, décidément, l'amour réussissait:

— Vous êtes brave, sauter sur trois hommes, comme ça...

— Je faisais simplement mon devoir de citoyen...

— C'est bien, un homme qui fait son devoir... de citoyen, dit-elle épatée et sous le charme. Mais comment puis-je vous remercier? Vous pouvez me demander n'importe quoi, vraiment n'importe quoi...

— Ce n'est rien, madame, vraiment. Je dois partir maintenant. Soyez prudente, lui dit-il en lui remettant son sac et en se séparant d'elle.

Après être passé en vitesse à l'épicerie du coin, John revint à l'agence avec un jus et quelques brioches, et força Rachel à manger. Elle était contente de l'attention qu'il lui manifestait, de sa gentillesse, et après quelques bouchées, elle se sentit beaucoup mieux. Elle souriait.

— Il ne faut pas que tu te négliges...

— Je sais... déclara Rachel.

Il y eut un petit silence, que John rompit bientôt:

— Il faudrait que nous parlions de nous deux...

— Oui, dit Rachel, je...

— Demain soir, nous pourrions... Si tu veux, viens dîner à la maison...

— Oui, d'accord, se contenta de dire Rachel, avec beaucoup d'émotion...

Cet après-midi-là, en courant pour attraper un taxi pour se rendre chez M. Roger, le client qui avait appelé au cours de la matinée — en ville, il préférait souvent un taxi à sa chère Mustang —, John trébucha.

Il crut qu'il avait heurté quelque chose, ou que son lacet s'était dénoué mais, vérification faite, il n'en était rien. Il était tombé pour une raison inexplicable. Diable, était-il en train de désapprendre à marcher? Il se releva, et il resta planté là, sur le trottoir, comme un enfant qui fait ses premiers pas et se demande s'il ne va pas encore se casser la gueule en tentant une nouvelle expédition. Il fit un pas, mais sentit alors que ses jambes, molles comme des chiffons, ne répondaient pas tout à fait à sa volonté.

Il parvint néanmoins à se rendre jusqu'à un banc, où il se reposa, maintenant très inquiet. De quel mal étrange pouvait-il souffrir? Il n'avait jamais eu de problèmes avec ses jambes, et puis après tout il n'était pas encore octogénaire. Il éprouva une grande angoisse, mais au bout de quelques minutes, il sentit ses forces lui revenir, il se releva, secoua les jambes et fut rassuré. Ce n'avait été qu'une fausse alerte, tout au plus de la fatigue accumulée. Il pouvait marcher tout à fait normalement.

Il héla un nouveau taxi, et arriva bientôt chez son client. Une heure plus tard, en sortant de chez ce dernier, il fut pris de la même faiblesse aux jambes et s'écroula. Cette fois il ne courait même pas, il ne pouvait donc avoir trébuché sur quoi que ce soit, ni glissé, et ses lacets étaient bien attachés. Il y avait donc un problème.

Quelques passants s'arrêtèrent près de lui, et un homme, conservant cette méfiance caractéristique à tous les New-Yorkais — n'était-ce pas une arnaque pour le soulager de son portefeuille — se pencha prudemment vers lui:

— Vous allez bien?

— C'est probablement une crise cardiaque, dit une vieille dame d'un air entendu, il faut appeler l'ambulance.

— Non, non, dit John, je vais bien...

Mais il pensa tout de suite qu'elle avait peut-être raison et que même s'il n'éprouvait ni douleur à la poitrine ni aucun autre symptôme, il n'en était peut-être pas moins victime d'un problème cardiaque.

Il porta la main à son cœur, ce que voyant, l'homme qui s'était penché sur lui crut que la vieille dame avait raison et s'empressa de desserrer sa cravate. John eut une réaction un peu brusque car il portait toujours la cravate de son père, et il craignit absurdement que l'homme ne voulût la lui subtiliser.

— Ne me touchez pas... je vais bien... je vais très bien... dit-il sèchement, si bien que l'homme, qui n'était même pas sûr au départ de vouloir l'aider se leva et partit sans demander son reste, se disant que les New-Yorkais étaient tous des mufles et qu'il ne devait plus attendre pour mettre à exécution le plan qu'il caressait depuis longtemps, trop longtemps: déménager, quitter cette ville infernale, peuplée de fous.

John tenta alors de se lever, mais ne put faire mieux que s'agenouiller et retomba, aussi découragé qu'intrigué. Que pouvait-il lui arriver au juste? L'ambulance arriva, et il protesta aux infirmiers qu'il allait bien, que tout était sous contrôle mais comme il était incapable de faire un pas sans retomber, ils le convainquirent de se rendre à l'hôpital au moins pour un examen.

On le garda jusqu'au lendemain, si bien qu'il dut passer la nuit à l'hôpital. Le soir, de son lit d'hôpital, il téléphona à Rachel pour l'informer que le lendemain, il ne passerait probablement pas à l'agence, parce qu'il devait se rendre à nouveau chez Roger. Mais le dîner du soir tenait toujours.

Pour ne pas l'inquiéter inutilement, il préféra ne pas lui dire où il se trouvait ni l'informer de son état de santé.

Le lendemain, en fin d'après-midi, après avoir passé toute la matinée différents tests, il reçut la visite du docteur Grant, un homme dans la quarantaine, le cheveu rare, le teint sombre, qui sans y aller par quatre chemins lui annonça:

— Vous souffrez d'anévrismes spinaux...

— Anévrismes spinaux? De quoi s'agit-il?

— Ce serait un peu long à vous expliquer. Disons qu'il s'agit de vaisseaux qui ont éclaté le long de votre colonne vertébrale...

— Est-ce que c'est grave?

— Oui, assez.

— Quand vais-je retrouver l'usage de mes jambes?

— Je ne peux vous le dire. Je dois cependant vous dire qu'il y a des risques que vous ne le retrouviez pas. En attendant, nous allons mettre à votre disposition un fauteuil roulant, et des béquilles...

— Un fauteuil roulant? Est-ce à dire que... que je peux rester infirme pour le reste de mes jours?

— Ecoutez, ne sautez pas tout de suite aux conclusions. Mais... c'est une maladie très grave en effet et nous ne la connaissons pas très bien... Je vais vous donner une prescription. Et si la maladie n'évolue pas positivement, dans quelques mois, je vais peut-être tenter une opération.

— Tenter une opération? Ce qui veut dire que ce n'est pas sûr de réussir?

— Je vais faire de mon mieux, mais je ne peux rien vous promettre. De toute manière, je ne serai peut-être pas obligé de vous opérer.

Ce diagnostic lui fit l'effet d'un coup de massue. Et lorsqu'un infirmier l'aida à s'asseoir dans «son» fauteuil roulant, il fut sur le point de faire une crise de nerfs. Il n'en revenait pas. Ce n'était pas de la rigolade! Il était vraiment en fauteuil roulant! Le seul mot évoquait dans son esprit une imagerie horrible. Une grande angoisse l'envahit, comme si on venait de lui annoncer qu'il mourrait sous peu. Il eut des sueurs froides et éprouva l'envie de crier que ce n'était pas vrai, qu'il faisait simplement un mauvais rêve.

Mais il fut bien obligé de croire à la réalité de son état lorsque, poussé dans un corridor par l'infirmier, il croisa un autre malade, en fauteuil roulant depuis des années, qui lui fit un petit salut complice comme s'il faisait partie de la confrérie, du «club» des éclopés.

A la porte de son appartement, il dut attendre que le chauffeur de taxi l'aidât à descendre et s'asseoir dans son fauteuil. En le voyant arriver, une de ses voisines de pallier lui demanda ce qui lui était arrivé, s'il avait eu un accident, et il la rassura de son mieux.

Dans l'ascenseur, il dut répondre aux questions d'un autre voisin et ce fut avec soulagement qu'il referma la porte de son appartement, non sans difficulté car il faisait l'apprentissage d'un état complètement nouveau dont à chaque instant il découvrait des inconvénients supplémentaires et inattendus, dont le moindre ne fut pas une envie pressante d'uriner qu'il ne put soulager qu'en se traînant à quatre pattes jusqu'au bol de toilette, la porte de la salle de bain étant trop étroite pour son fauteuil!

Comme il était loin de s'attendre à ce revirement de situation lorsqu'il était revenu, triomphant et exalté, de chez le vieux millionnaire! A sa sortie de la toilette, il remonta dans son fauteuil et se dirigea aussitôt vers le buffet où se trouvait sa cartouche de *Marlboro*, que dans une sorte d'intuition prémonitoire, il n'avait pas cru bon jeter, même s'il avait renoncé au tabac. Et dans son découragement, malgré sa résolution, il s'alluma une cigarette dont il ne tira pas trois bouffées. Avait-il cessé de fumer, oui ou non?

Il écrasa sa cigarette et ouvrit le petit coffret de chez *Tiffany* qui contenait la belle bague de fiançailles. Comment diable allait-il annoncer cette terrible nouvelle à Rachel?

CHAPITRE 15

Où le jeune homme doit prendre la décision la plus difficile de sa vie

Vers sept heures pile, comme convenu, Rachel frappa à sa porte à peine quelques minutes après que John eut dissimulé son fauteuil roulant dans un placard.

— C'est ouvert, cria-t-il du canapé du salon dans lequel il s'était calé, s'emmitouflant d'une couverture, vêtu d'un peignoir et de ses pantoufles, un accoutrement qui parut curieux à Rachel.

Pourquoi ne se levait-il pas pour l'accueillir, et lui sauter dans les bras, comme il le faisait habituellement? Et pourtant elle était vraiment exquise, moulée dans une petite robe rouge plutôt décolletée qui n'avait jamais laissé John indifférent et que, même, il lui avait à quelques reprises réclamée, petite fantaisie à laquelle Rachel n'avait jamais regretté de céder.

— Je suis un peu grippé, s'empressa-t-il de dire pour justifier son immobilité.

Inquiète, Rachel s'approcha, posa un baiser rapide sur ses lèvres, puis, lui passa une main maternelle sur le front, ne constata pas de fièvre.

En la voyant si près de lui, en respirant son parfum capiteux, John eut envie de lui dire ce qu'il n'avait jamais osé dire à aucune femme. Que non seulement il la trouvait belle, qu'elle le troublait au-delà de tous les mots, mais qu'elle était sa raison de vivre, sa certitude: le pain et le vin dont il voulait se nourrir, la femme par qui tout arrive, celle sans qui la vie n'est qu'un lent voyage vers la mort...

Savait-elle combien il l'aimait? Savait-elle qu'au cours de sa longue réflexion il avait compris, une fois pour toutes, que faire un pas pour s'éloigner d'elle, c'était s'éloigner de lui-même, et que l'abandonner, c'était s'enfoncer dans le cœur le couteau de la désolation et de la mort?

— Il y a du vin blanc au frigo, dit John.

— Crois-tu que ce soit sage de boire dans ton état?

— Ah, ce n'est pas un petit verre qui peut tuer un homme...

— D'accord, si tu le dis...

Elle ne voulut pas protester, passa à la cuisine, trouva dans le frigo un blanc plutôt ordinaire mais aperçut alors juste à côté une bouteille du meilleur champagne — achetée par John l'avant-veille —, ce qui ne fit que la confirmer dans sa certitude première. Il avait quelque chose d'important, et d'heureux à lui annoncer. Après tout, John n'achetait pas du champagne sans raison: il voulait célébrer leurs fiançailles. Il lui offrirait enfin la belle bague qu'elle avait vue sur le bahut, le soir où ils étaient devenus amants. Elle n'hésita pas.

Lorsqu'il la vit arriver avec la bouteille de champagne, John eut un petit mouvement, presque imperceptible, que Rachel nota, animée de cette attention quasi maniaque que confèrent les grandes passions. Avait-il soudainement changé d'idée? Préférait-il quelque chose de moins spectaculaire, et de plus adapté à son état?

— Est-ce que tu préfères que nous buvions autre chose?

— Non, non, pourquoi dis-tu cela?

— Pour rien, une impression seulement. Aimerais-tu mieux un café?

— Mais non, mais non, protesta-t-il.

Elle commença à ouvrir le champagne, mais il lui retira la bouteille des mains, fit prestement sauter le bouchon et emplit les flûtes qu'elle avait rapportées en même temps que le champagne et posées sur une petite table à côté du canapé. Ils prirent une première gorgée, et Rachel eut l'idée de mettre de la musique, pas n'importe laquelle, mais «leur» morceau, *Unforgettable*. Puis elle vint s'asseoir près de lui et dit:

— Buvons à... mais elle s'arrêta aussitôt.

Elle n'osait dire «buvons à nous deux», attendait que cela vînt de lui. Nerveuse, Rachel vida son verre d'un seul trait, et s'en servit un autre tandis que John, absent, ne fit que tremper les lèvres dans le sien. Elle crut qu'il allait peut-être lui demander à danser, malgré sa grippe, mais il lui dit plutôt:

— J'ai parlé à Roger, nous n'avons pas le contrat.

— Ah, c'est dommage, mais ce n'est pas catastrophique, nous en aurons d'autres, nous devrions lancer une nouvelle offensive de publicité.

— Ecoute, Rachel, il faut que je te dise, j'ai pris une décision, une décision qui n'a pas été facile. Je vais fermer l'agence pour quelque temps.

— Fermer l'agence? Mais pourquoi? Nous... nous pouvons encore tenir, il me semble, en tout cas, si je me fie au dernier relevé bancaire.

— Je... Je sais mais c'est une décision personnelle. Je veux faire autre chose.

— Ecrire ton scénario?

— Oui.

— Ah bon, je comprends.

Il prit une enveloppe sur la table près de lui, et l'air embarrassé au plus haut point, il ajouta:

— Je t'ai fait préparer un chèque de séparation, qui te donne un mois de salaire, le temps que tu te retrouves quelque chose. Si tu as besoin d'une lettre de recommandation, évidemment...

Cette fois-ci tout s'effondrait. John n'avait pas pris cette décision comme on le fait dans un couple. Il ne l'avait aucunement consultée. Bien sûr, l'agence lui appartenait, il pouvait faire ce qu'il voulait, mais après tout, ils étaient amants depuis des mois, et elle faisait partie de sa vie. Il lui tendit l'enveloppe mais elle ne l'ouvrit pas. La gorge nouée, elle pressentit que le pire restait à venir.

— Tu ne trouves pas que cette décision est un peu prématurée, dit-elle en croyant qu'il faisait peut-être un *burn-out*, un début de dépression, chose surprenante car deux jours avant il débordait d'énergie.

— Il faut que je te dise. J'ai beaucoup réfléchi à nous deux, et j'en suis arrivé à la conclusion que nous ne sommes pas vraiment faits l'un pour l'autre... Et qu'il vaut mieux que nous ne nous voyions plus...

Non seulement il ne la demandait pas en mariage, mais à la place il la congédiait et il rompait. Son univers chavirait, son rêve s'écroulait. Il ne voulait plus d'elle! Il ne l'aimait plus.

Peut-être ne l'avait-il jamais aimée même, mais seulement utilisée comme le font si souvent les hommes. C'était si inattendu, si bouleversant et si humiliant que Rachel en perdit tous ses moyens et ne voulut pas exiger les explications auxquelles elle aurait naturellement eu droit. Leur amour, qu'elle avait toujours trouvé si romantique, si noble, prit tout à coup des allures sordides: ce n'était qu'une banale aventure entre une secrétaire et son patron, comme il y en avait eu des milliers avant, comme il y en aurait des milliers après, et qui finissait comme toutes les autres, par une séparation.

Elle eut envie de crier, de hurler. Mais elle ne dit rien. La souffrance lui coupait tous ses moyens. A quoi bon protester du reste? Le verdict qui venait d'être prononcé sur leur amour ne venait-il pas d'une instance bien plus grande que John, de son destin, d'un mauvais sort qui paraissait la poursuivre depuis toujours et la poussait toujours vers des hommes qui la quittaient alors qu'elle avait commencé de les aimer?

— Je comprends, se contenta-t-elle de dire. C'est fini. Je... Je pense que je vais m'en aller maintenant, tu as sûrement besoin de te reposer...

Il s'attendait qu'elle protestât, qu'elle criât, qu'elle l'accusât de tous les noms, qu'elle le suppliât de ne pas la quitter.

— Je passerai à l'agence demain prendre mes choses et je laisserai la clé au concierge... dit-elle.

Et ce fut sur ces paroles que, sans l'embrasser, elle partit, prenant presque la fuite, de peur de s'effondrer de douleur.

Dès qu'elle eut refermé la porte, John se traîna tant bien que mal jusqu'au placard, récupéra son fauteuil roulant, et alla à sa chaîne stéréo pour refaire jouer *Unforgettable*. Puis il s'empressa d'aller se poster à sa fenêtre, d'où il vit Rachel traverser la rue, et s'immobiliser pour attendre l'autobus.

Alors il se revit danser avec elle, à l'*Hôtel Plaza*, amoureux, léger. Tout était fini, par sa faute, par sa décision. Mais pouvait-il vraiment faire autrement? Jamais il n'aurait accepté qu'elle restât avec lui par pitié. Aurait-il pu vivre en paix avec sa conscience, sachant qu'il imposait à cette jeune femme saine et vive un mari qui risquait de passer sa vie dans un fauteuil roulant et dont elle ne serait que l'infirmière et non la véritable épouse?

Lorsqu'il vit Rachel monter dans l'autobus qui l'emporta dans la nuit, il s'empressa de prendre l'écrin dans sa poche, l'ouvrit et contempla la belle bague. Les larmes lui montèrent aux yeux car il avait compris qu'il venait de prendre la décision la plus difficile de sa vie, et que, d'une manière ou d'une autre, il perdait. Il aurait perdu son amour-propre en la retenant, en lui disant la vérité au sujet de sa maladie, et il perdait l'amour de sa vie en la laissant partir.

La semaine suivante, son état ne s'étant pas amélioré, John, le cœur brisé, ferma son agence. Il avait négocié un règlement convenable avec son propriétaire qui ne crut pas bon d'accabler un homme en fauteuil roulant, mais les affaires étant les affaires, il lui arracha tout de même trois mois de loyer en échange de sa liberté! Encore quelques milliers de dollars envolés!

Dans une boîte, il rangea tous ses effets, quelques tablettes de papier inutilisées, quelques plumes, les portraits de Rachel et de son père, qu'il avait toujours gardés bien en vue sur son bureau. Avant de partir, pour être sûr de n'avoir rien oublié d'important, il fit avec nostalgie un dernier tour de l'agence et ouvrit un des tiroirs du bureau de Rachel.

Il y découvrit deux chèques de paye qu'elle n'avait jamais déposés, parce que l'agence connaissait des difficultés de plus en plus grandes. Dans sa générosité, dans son amour, et même si elle était très pauvre, elle avait voulu faire sa part.

Lorsqu'il le comprit, John eut honte. Il prit les chèques et, chaviré d'émotion, il les serra dans sa poche aussi précieusement que s'il s'était agi de lettres d'amour passionnées.

Il allait refermer le tiroir lorsqu'il aperçut une broche dorée, figurant un charmant petit bélier, le signe astrologique de Rachel, qui était née un premier avril. Elle portait ce bijou le jour où elle s'était présentée à l'agence pour le poste de secrétaire. John prit la broche, la contempla quelques secondes, puis, nostalgique, voulut l'agrafer sur sa chemise. Mais maladroit, il se piqua, poussa un cri, et vit une petite tache de sang se dessiner à la place de son cœur.

CHAPITRE 16

Où le jeune homme doit choisir entre la lumière et les ténèbres

Le lendemain, vers cinq heures du matin, John se fit conduire en taxi au bord de East River, près du pont de Brooklyn. Il avait demandé au chauffeur de taxi de l'attendre, et ce dernier, qui le trouvait un peu bizarre, était descendu de sa voiture et, appuyé contre la portière, grillait une cigarette, l'air fatigué.

Calé dans son fauteuil roulant, John se trouvait à quelques pas à peine de l'extrémité d'un dock de ciment, qui s'élevait vingt mètres au-dessus des eaux. Il avait apporté le vieux coffret de bois que lui avait offert le millionnaire et, en ce moment, il le regardait, révolté.

Tout ce que lui avait dit le vieil homme était faux. Ce n'était qu'un tissu de mensonges et de promesses fantaisistes. Sa vie devait être un jardin de roses, il irait de succès en succès, ferait fortune... A la vérité, le bilan qu'il devait dresser de la situation n'était pas très rose.

Il avait dû fermer son agence, il avait perdu Rachel, la femme qu'il avait le plus aimée de toute sa vie, et il était paralysé, dans un fauteuil roulant, sans savoir si un jour il pourrait recouvrer l'usage de ses jambes.

Alors, pourquoi continuer? Et surtout, pour qui? Si au moins son père avait été encore vivant... D'ailleurs, pensant à lui, il se répéta ce qu'il s'était si souvent dit, qu'il aurait dû accepter sa proposition de travailler avec lui au bistrot. Peut-être alors le cours de sa vie aurait été complètement différent. Il n'aurait pas été frappé par cette étrange maladie. Mais il n'aurait peut-être pas rencontré Rachel. Ce qui à la réflexion aurait peut-être été préférable. Car n'est-il pas préférable de ne pas rencontrer un grand amour, lorsqu'on est condamné à le perdre?

Il regarda le vieux coffret, dépité, puis il s'avança vers le bord du quai. Le chauffeur de taxi le vit, jeta nerveusement sa cigarette et s'avança de quelques pas. Qu'allait faire ce client? N'allait-il pas commettre un geste irréparable, se jeter à l'eau? Et alors, qui paierait pour la course?

Mais il se rassura. Car John jeta le coffret, le plus loin possible, et le regarda flotter sur les eaux, emporté par le courant. Bientôt le coffret coula et disparut.

John eut envie de suivre le coffret. C'était comme un appel mystérieux et profond. Un appel du silence, du calme, de la fin de toute souffrance. Ce serait facile, ce serait simple. Il n'aurait qu'à donner un petit coup de roue, et il suivrait le coffret. Il irait rejoindre son père, et il pourrait lui demander pardon de ne pas avoir accepté son offre.

Et puis là-bas, il ne penserait plus à Rachel, il ne regretterait plus de l'avoir quittée, parce qu'il ne pouvait faire autrement. Dans un état second, il posa la main droite sur la roue, prêt à lui imprimer le mouvement fatal.

Le chauffeur de taxi s'avança de quelques pas de plus, le front plissé d'inquiétude. Qu'est-ce que ce pauvre con allait faire? Il allait informer John qu'il devait maintenant le payer et qu'il allait rentrer lorsqu'il fut distrait par des bruits de voix et de musique au loin. C'était une bande de jeunes, en fait les trois skinheads avec qui John avait déjà eu maille à partir. Eméchés, drogués, ils revenaient d'une longue virée nocturne. Le chauffeur de taxi regarda en leur direction d'un air pas très rassuré, et espéra qu'ils ne le repéreraient pas. Ces jeunes écervelés étaient souvent armés et violents. Il avait déjà eu des ennuis avec eux, et préférait les éviter.

John eut envie de faire le geste fatal, de se laisser emporter mais alors il vit poindre les premiers rayons du soleil à l'horizon, et il fut touché par une émotion très grande. Comme cette lumière orangée était belle, dans le bleu limpide du ciel! Quoi! Se prenait-il à ce point au sérieux, accordait-il autant d'importance à sa petite personne pour vouloir se supprimer, alors qu'il avait encore en lui cette capacité étonnante de s'émerveiller, de s'émouvoir? Etait-il à ce point obnubilé par son malheur qu'il ne voyait plus devant lui la beauté extraordinaire de la vie?

Il pensa à ce moment à ce que le vieil homme lui avait dit dans la limousine en voyant le commis de banque mal fagoté. La différence entre l'homme ordinaire et le millionnaire était que même si on enlevait tout au millionnaire, il pourrait tout reconstruire, parce qu'il lui restait la chose la plus importante: son esprit. John comprenait qu'il ressemblait à ce millionnaire à qui on avait tout enlevé.

Il n'avait plus ses jambes, il avait perdu Rachel, il avait perdu son père, et il avait dû fermer son agence. Mais il lui restait son esprit. Tout son esprit. Et c'était grâce à cet esprit précisément qu'il pouvait encore apprécier la splendeur d'un lever de soleil sur Manhattan qui, devant lui, tendait ses gratte-ciel.

Son esprit, c'était sa plus grande richesse. Et il allait s'en servir, pour se battre, pour réaliser ses rêves, pour écrire le scénario qui lui permettrait de changer de vie une fois pour toutes.

Il se rappela une citation du testament du millionnaire: «La vie t'a donné un citron, fais-en une limonade!». Et c'est précisément ce qu'il allait faire. Dans le fond d'ailleurs, en conservant l'agence ouverte, il se gardait une porte de sortie. Tandis que maintenant, il n'avait plus le choix. Pour réussir, il fallait qu'il écrive et vende un scénario. N'était-ce pas préférable? N'est-il pas impossible de bien servir deux maîtres à la fois?

Dans la plus grande des adversités, lui avait expliqué le vieil homme, réside le germe d'un bénéfice supérieur. Il ne savait pas encore lequel. Mais il allait faire un acte de foi. Dans la vie. Dans son succès futur. Il se tourna en direction du chauffeur de taxi pour lui indiquer qu'il comptait repartir mais ce dernier courait vers lui.

— Il faut qu'on parte. Il y a des punks qui s'amènent, et je préfère ne pas prendre de chance.

John les aperçut, les reconnut, et laissa tomber un «merde» sonore. Si les punks le repéraient, ils lui feraient très certainement un mauvais sort, n'hésiteraient peut-être pas à le pousser au bas du quai pour se venger de l'affront qu'il leur avait fait subir quelques jours plus tôt.

Le chauffeur de taxi le poussa rapidement vers la voiture, l'y fit monter, plia son fauteuil qu'il plaça sur la banquette avant et démarra en trombe juste à temps pour échapper aux skinheads qui couraient en leur direction.

John avait l'impression de sortir d'un état second, d'un cauchemar dans lequel il avait projeté de se tuer. Comme la vie tenait à peu de choses! Un simple geste, dans un moment de découragement, et c'en était fini...

CHAPITRE 17

Où le jeune homme se met résolument au travail

À peine une demi-heure plus tard, il était à sa table de travail, devant son ordinateur, qui allait devenir son unique compagnon pendant les prochaines semaines. Il pensa tout de suite que l'histoire la plus simple — et la plus intéressante à raconter — serait celle de sa rencontre extraordinaire avec le millionnaire. Il n'avait jamais écrit de scénario, mais sa longue expérience de rédacteur publicitaire lui avait permis de développer une certaine facilité avec les mots, et il avait beaucoup d'imagination.

Il y avait à peine quelques minutes qu'il s'était mis au travail qu'un geai bleu vint se poser sur le rebord de la fenêtre ouverte près de laquelle il écrivait. C'était la première fois qu'il voyait un geai bleu à New York.

Tout excité à l'idée de retrouver cet oiseau de son enfance, il s'empressa d'aller chercher des cacahuètes et en jeta quelques-unes au volatile qui en prit une — la plus grosse — dans son bec noir et disparut. John se remémora le rêve à répétition qu'il avait fait dans lequel figurait un geai sans aile.

Et il pensa tout de suite que la visite de ce bel oiseau était de bonne augure. Une vie nouvelle commençait pour lui, malgré l'adversité, malgré le déchirement d'avoir perdu Rachel.

Il ne fallait pas qu'il pensât à elle, d'ailleurs. Il fallait qu'il s'absorbât dans son travail, corps et âme.

Habitué de par son métier à travailler rapidement et sous pression, il prit les bouchées doubles, à raison d'une quinzaine d'heures par jour, sept jours par semaine, et put compléter la première version de son scénario en un mois.

Son scénario fraîchement imprimé en main, il se rendit tout de suite au club vidéo de son quartier pour y rencontrer Steve, un *crack* de cinéma avec qui il avait fréquemment eu de longues conversations sur le septième art. Il avait eu assez souvent l'occasion de le voir depuis le début de sa liaison avec Rachel parce que leur loisir préféré consistait à louer de vieux films qu'ils regardaient en mangeant de la pizza, moitié végétarienne, moitié *all dressed*, pour plaire à leurs goûts respectifs.

Sur le chemin du club vidéo, John fit preuve d'une imprudence attribuable à son manque d'expérience en fauteuil roulant. Au coin de la rue, le feu venait de passer au jaune mais, surestimant ses forces, ou le temps dont il disposait pour traverser la rue, John s'engagea quand même, mais la roue gauche de son fauteuil resta prise dans une ornière. Il entendit alors un coup de klaxon extrêmement bruyant, comparable au bruit d'une sirène. Il se retourna et aperçut un immense camion qui roulait dans sa direction.

Il poussa de toutes ses forces sur la roue restée prise, mais rien n'y fit. Son cœur se mit à palpiter. Quelle manière bête de mourir alors même que sa vie prenait un tournant plus favorable et que le vent de l'optimisme avait recommencé à souffler dans son cœur! Mais dans un hurlement de freins et de pneus le camion s'arrêta au dernier moment, à quelques pas de lui.

Un chauffeur ventripotent en descendit et hurla:

— Tu ne pourrais pas faire attention, pauvre con! Pour qui te prends-tu? Ce n'est pas parce que tu es infirme que ça te donne tous les droits!

John ne protesta pas et se laissa pousser par le camionneur qui l'aida à sortir de l'ornière dans laquelle il était tombé. Il resta un long moment sur le coin de la rue, à reprendre son souffle et à se dire qu'à l'avenir il devrait faire preuve de plus de prudence. Simplement, il avait de la difficulté à se rappeler qu'il n'était plus «normal». Il était en fauteuil roulant maintenant, comme n'avait pas manqué de le lui rappeler le camionneur et il devait agir en conséquence.

— Qu'est-ce qui t'est arrivé? lui demanda Steve, au club vidéo, en le voyant pour la première fois dans son fauteuil.

— Je suis tombé en descendant de mon *Lear Jet.*

Etudiant de vingt-deux ans, les cheveux noués en une queue de cheval, de très petits yeux rieurs derrière des lunettes à la John Lennon, Steve rigola, puis demanda:

— Non, sérieusement?

— Je ne sais même pas. Une maladie bizarre. Un truc à la colonne vertébrale.

— Tu en as pour longtemps?

— Le médecin ne le sait même pas.

— C'est emmerdant, tout ça.

Puis après une pause:

— J'espère que tu n'as pas contaminé Rachel.

— Non, non, ce n'est pas contagieux.

— Elle va bien?

— Oui...

Il était comme honteux d'avouer que tout était fini avec Rachel. Peut-être avait-il l'impression que si sa liaison avec Rachel continuait d'exister dans l'esprit de quelqu'un, d'une certaine manière, elle restait encore vivante.

— C'est vraiment la femme idéale que tu as dénichée là, reprit le jeune Steve. Tu devrais l'épouser avant qu'un requin te la vole.

— C'est vrai, dit John.

— Alors qu'est-ce que je te loue aujourd'hui?

— Rien. J'aimerais plutôt que tu lises mon scénario.

Le lendemain, Steve lui téléphona pour lui faire part de ses impressions. Fébrile, John l'écouta religieusement.

— Veux-tu que je te fasse plaisir ou que je te dise ce que je pense vraiment? commença Steve.

— J'ai l'impression que je vais boire tes paroles, dit ironiquement John.

— Je trouve que ça manque de vie. On ne croit pas aux personnages. Tu n'as pas écrit avec ton cœur. Je me trompe peut-être évidemment. A Hollywood, il y a une maxime qui dit que personne ne connaît rien sur rien. Alors je suis peut-être complètement à côté de la plaque. Le mieux c'est de le faire lire par quelqu'un d'autre.

— Je te remercie.

— J'espère que je ne t'ai pas trop démoralisé. Tu m'as demandé mon avis. Je suis peut-être trop sceptique. Je lis trois scénarios par jour à l'université.

John, qui découvrait les «joies» de la création, de toutes les écoles de modestie sûrement la meilleure, n'osa pas faire lire son scénario par personne d'autre. Il le relut plutôt, plume à la main, et trouva que le jugement de Steve était juste. L'histoire manquait de vie, de chaleur. Il l'avait écrite seulement avec sa tête, non pas avec son cœur.

Le découragement le gagna, auquel n'était pas étrangère la fatigue nerveuse causée par trois semaines de travail intense. Il eut envie de tout abandonner. D'ailleurs, pour qui se prenait-il? Il n'avait jamais étudié en cinéma, jamais lu aucun ouvrage sur le sujet, et il s'était improvisé scénariste du jour en lendemain. A quoi donc s'attendait-il?

La conversation qu'il avait eue avec Steve avait ravivé sa nostalgie de revoir Rachel. Pourquoi ne lui téléphonait-il pas tout de suite pour lui dire la vérité, pour lui avouer qu'il n'avait jamais cessé de l'aimer et qu'il lui avait menti? Elle comprendrait peut-être, accepterait une réconciliation. Il n'était peut-être pas trop tard. Après tout, il y avait à peine un mois qu'ils étaient séparés.

Après de longues hésitations, il prit le téléphone, composa son numéro qu'il savait évidemment par cœur. Mais, pris d'une lâcheté soudaine, il raccrocha au bout de deux coups de sonnerie. Il recomposa le numéro et cette fois laissa sonner trois coups. Et, frémissant, il entendit enfin la voix de Rachel, sa si belle voix dont les accents n'avaient cessé de résonner douloureusement dans sa mémoire.

— Allô? demanda-t-elle.

— ...

— Allô? Je ne vous entends pas. M'entendez-vous?

John n'osait toujours pas parler, pris d'une timidité soudaine.

— Louis? C'est toi? demanda alors Rachel. Cesse tes plaisanteries, ce n'est pas drôle.

Ce fut un coup au cœur de John. Il s'empressa de raccrocher. Qui était ce Louis? Se pouvait-il que Rachel eût déjà refait sa vie, après seulement un mois? L'avertissement que lui avait servi Steve, au club vidéo, était peut-être prophétique. Un «requin» lui avait volé Rachel parce qu'il ne l'avait pas demandée en mariage à temps. Mais non, à la réflexion, c'était impossible.

Rachel était une femme beaucoup trop sensible, romantique pour l'oublier ainsi, au bout de quelques semaines seulement. Ce Louis n'était sûrement qu'une connaissance, tout au plus un ami. A moins que sa douleur, son désarroi n'eût été si grand, si profond qu'elle se fût jetée dans les bras du premier venu pour oublier, pour pouvoir continuer à vivre?

Submergé de nostalgie, le soir même il se rendit à l'*Hôtel Plaza*, lieu de leur premier rendez-vous. Par un hasard singulier, il y avait ce soir-là une soirée de danse rétro, à laquelle, bien entendu il n'était pas question pour lui de participer. Non seulement avait-il perdu Rachel, mais aussi l'usage de ses jambes. Il revit le vieux couple romantique qui les avait charmés, Rachel et lui.

Il se demanda si eux aussi s'étaient un jour séparés, s'ils avaient connu des épreuves. Eux au moins les avaient surmontées, la preuve, ils étaient encore ensemble. Alors que John, lui, avait tout de suite jeté la serviette, sans chercher à se battre... Mais comment aurait-il pu imposer à Rachel son infirmité, et le genre de vie qu'elle entraînait inévitablement, sans faire preuve d'un égoïsme qui n'avait rien à voir avec le véritable amour?

— Je peux vous aider, monsieur? lui demanda alors un employé qui interrompit sa rêverie.

— Non, non, merci, se contenta-t-il de dire. J'attendais quelqu'un, mais je crois qu'elle ne viendra pas.

Sur le chemin du retour, il acheta un journal et en parcourut pendant de longues minutes la section «Vacances». Il se mit à rêver. Pourquoi ne pas inviter Rachel à Acapulco, pour un week-end de réconciliation, comme le week-end de rêve qu'ils y avaient passé après être devenus amants?

CHAPITRE 18

Où le jeune homme connaît l'humiliation

Depuis une bonne heure maintenant, John se trouvait sur la plage, et, assis dans son fauteuil roulant, il admirait les gracieuses évolutions de Rachel. Serrée dans un maillot de bain noir une pièce dont les courroies étaient retenues aux épaules par de jolis boutons verts pomme, elle s'ébattait dans les eaux parfaitement calmes de la baie d'Acapulco. Qu'elle était belle, avec son chapeau de paille jaune duquel ses cheveux blonds s'échappaient comme des rayons dorés, que son sourire était lumineux, le véritable sourire insouciant et bon d'un enfant!

L'atmosphère était à la fête sur la plage bondée. Derrière l'endroit que Rachel et John avaient choisi pour poser leurs serviettes, un orchestre de mariachis, engagé par leur hôtel, l'*Acapulco Plaza*, emplissait les cieux parfaitement bleus des accents joyeux et blonds de leurs guitares et de leurs trompettes.

Seule ombre au tableau en cette journée idyllique, la voisine de plage de John, une énorme quadragénaire qui faisait sûrement osciller la balance — ou plutôt la déréglait sûrement — à plus de trois cent cinquante livres, et qui explosait littéralement dans un ridicule bikini léopard, s'était endormie, après avoir englouti un spaghetti gargantuesque dont les restes attiraient une horde de mouches luisantes.

Mais ce qu'il y avait de pire encore c'était que, sans doute prise d'une somnolence digestive, l'inélégante baigneuse dont la dédaigneuse lippe inférieure était restée entrouverte n'avait pas terminé son dessert, un énorme sunday aux fraises et s'était endormie en le laissant tomber sur son bas ventre où il achevait de fondre en traçant, entre ses cuisses affligées d'innombrables replis, des coulis que des mouches hystériques assaillaient.

Importuné par les insectes, John qui ne pouvait se déplacer facilement car les roues de son fauteuil était enfoncées dans le sable, commença par s'éclaircir la voix, dans l'espoir de réveiller sa voisine, qui du reste devenait l'attraction principale de cette partie de la plage tant le spectacle qu'elle offrait involontairement était disgracieux.

Toussotement inutile auquel il renonça pour se pencher et prendre un des ustensiles dans l'assiette de spaghetti, un assez long couteau avec lequel il commença à frapper la partie métallique d'une des roues de son fauteuil. Entreprise tout aussi vaine, dont il fut distrait subitement en regardant à nouveau en direction de Rachel. Il venait d'apercevoir quelque chose qui le terrorisa.

En effet, un énorme aileron de requin fendait les eaux lisses de la baie en direction de Rachel, une des rares baigneuses à cette heure.

— Rachel, reviens tout de suite! Il y a un requin derrière toi! hurla-t-il en se mettant à gesticuler.

Rachel ne l'entendait pas car la musique de l'orchestre couvrait ses cris. Elle dut prendre ses signes pour des saluts, ou une manifestation spontanée de bonheur car elle lui répondit par de grands gestes souriants de ses bras pleins de grâce.

John comprit qu'elle ne pourrait pas l'entendre, et qu'il lui fallait faire immédiatement quelque chose. Il tenta d'alerter ses voisins, mais ceux qui étaient allongés à côté de lui sommeillaient, et le seul couple éveillé ne parlait qu'espagnol, langue dont il ne connaissait que trois ou quatre mots, quelle déveine!

— Rachel, derrière toi!

Le squale aux intentions visiblement meurtrières n'était plus qu'à une centaine de mètres de Rachel et se dirigeait droit vers elle. John savait qu'il devait agir tout de suite. Il se rappela ce que le vieil homme lui avait dit, que la foi pouvait tout. Si elle pouvait effectivement soulever des montagnes, ne pouvait-elle lui permettre de secouer la paralysie de ses jambes et de se lever de son fauteuil pour secourir sa compagne en détresse?

Il prit appui sur les accoudoirs de son fauteuil, se concentra et essaya de se lever, se répétant intérieurement qu'il *pouvait* marcher, qu'il le *devait*, que la vie de Rachel en dépendait. Et le miracle s'opéra. Il laissa les accoudoirs de son fauteuil et, à sa propre surprise, comme si le retour de ses forces était la dernière chose à laquelle il s'attendait, il ne tomba pas.

Le couteau de sa grasse voisine toujours en main, il se mit à courir, d'abord lentement puis de plus en plus rapidement en criant à Rachel de quitter l'eau au plus tôt. Il brandissait son arme de fortune au-dessus de sa tête, d'une manière évidemment menaçante si bien que Rachel, d'abord surprise et heureuse de voir qu'il avait miraculeusement recouvré l'usage de ses jambes, se demanda s'il n'avait pas perdu la tête du même coup. Que diable pouvait-il bien vouloir faire en courant vers elle avec cette mine menaçante et ce couteau de table?

Elle crut bientôt qu'il était devenu complètement fou, et leva le bras devant son visage pour se protéger d'un coup certain, et le vit plonger à côté d'elle sur le requin qui était sur le point de l'attaquer. Une longue lutte s'engagea, qui la terrifia.

John disparut bientôt sous les eaux, engageant un combat mortel avec le requin qui devait peser deux cents livres. Le sang rougit l'eau. Une profusion de sang, qui semblait venir de partout et de nulle part. Puis l'eau se calma tout à fait. Un corps mort émergea alors de l'eau, celui, troué de coups de couteau, du requin. John réapparut tout de suite après, la bouche grande ouverte, avalant une grande gorgée d'air, visiblement sur le point de suffoquer. Il ne paraissait pas blessé.

Il chercha tout de suite Rachel, mais ne la vit pas. En revanche, à son grand affolement, il aperçut son chapeau de paille qui flottait à la surface de l'eau.

— Rachel! hurla-t-il, désespéré, se demandant, inquiet, presque affolé, ce qui avait pu se passer.

Pourtant, il avait trucidé le dangereux squale avant qu'il n'eût le temps d'atteindre Rachel. Il regarda du côté de la plage. Peut-être, effrayée à la vue du requin, s'y était-elle réfugiée. Il ne la vit pas. Il plongea, chercha sous l'eau. Il revint à la surface, et en regardant vers le large, fit une horrible découverte. Un aileron de requin s'éloignait du site du combat: il avait de toute évidence emporté Rachel avec lui.

Alors ce fut un désespoir sans borne. John s'en voulut de ne pas avoir vu le second requin. Mais même si c'eût été le cas, comment aurait-il pu combattre les deux bêtes à la fois? C'était le destin, qui venait de frapper cruellement. Il se mit à hurler sa douleur, ramassa le chapeau de paille de Rachel et marcha, épaules courbées, vers la plage.

Une sculpturale baigneuse moulée dans ces bikinis audacieux qu'on appelle *string*, s'approcha de lui, un sourire admiratif sur les lèvres. Elle l'avait vu attaquer bravement le requin, mais ignorait que son comparse sanguinaire avait emporté à tout jamais Rachel. Elle tendit le doigt vers le corps flottant du squale qui attirait déjà des goélands et commenta:

— J'ai tout vu. Vous êtes plutôt brave. Est-ce que je peux vous offrir un verre?

Il ne lui répondit pas, se contenta de lui jeter un regard dégoûté. Lorsqu'il n'eut plus de l'eau qu'à mi-jambes, il sentit ses genoux se dérober. Il ne tarda pas à comprendre ce qui s'était passé. La force ne lui était revenue que le temps de tenter de sauver Rachel. Maintenant, elle le quittait. Il eut beau tenter de se concentrer, rien n'y fit, et il s'écroula bientôt dans les eaux peu profondes du rivage. Il tenta de se relever, déploya toutes ses forces.

La baigneuse le vit alors, fronça les sourcils, se demanda ce qui se passait, puis aperçut le fauteuil roulant resté sur la plage et comprit:

— Vous êtes infirme, dit-elle.

Et elle éclata de rire, appela ses amis, qui s'assemblèrent bientôt autour de John, pour la plupart des athlètes aux muscles gonflés par des heures innombrables d'entraînement, si ce n'est par de commodes anabolisants.

— Il est infirme et il vient quand même se baigner! Il se prend pour qui? Dire que je l'ai invité à prendre un verre. Mais je ne prends pas de verre avec des infirmes, moi.

Et tout le monde riait, cependant que John, complètement ravagé par la douleur d'avoir perdu Rachel, tentait de se relever, battait des bras pour éloigner les cruels vacanciers. Une sirène de police retentit alors et les baigneurs se dispersèrent.

Et ce qui n'était qu'un cauchemar prit fin. Car John se réveilla alors, au beau milieu de son lit solitaire, au pied duquel la section «Vacances» du journal traînait encore, ouverte sur une page qui vantait le charme irrésistible de l'hôtel *Acapulco Plaza*. Dehors, la sirène d'une voiture de police du quartier résonnait, celle qui de toute évidence l'avait tiré des bras troubles de Morphée.

Le corps baigné de sueur, comme s'il venait vraiment de se livrer au plus épuisant des combats, John souffla un bon coup, heureux que ce ne fût qu'un mauvais rêve et qu'il n'eût pas perdu Rachel. Tout avait eu l'air si vrai pourtant, d'une netteté hallucinante: la plage, la baigneuse grotesque à ses côtés, Rachel, divine dans son maillot noir, et ce requin qu'il avait terrassé.

Il se demanda quelle heure il pouvait être, aperçut son réveil qui indiquait sept heures cinq, tendit la main vers le tiroir de sa petite table de chevet où il serrait habituellement ses cigarettes mais se rappela alors qu'il avait cessé de fumer et qu'il ne s'autorisait nul écart à ce chapitre. Comme était tenace l'habitude, profonde la mémoire du tabac...

Au moins il prendrait un bon café. Et cependant que la sirène de police s'éloignait il esquissa le mouvement de se lever, oubliant aussi qu'il avait perdu l'usage de ses jambes, et il s'affala de tout son long sur le plancher, honteux de sa distraction, découragé que ses jambes, naguère athlétiques, ne fussent plus que de simples chiffons sans utilité.

Il se releva péniblement, s'assit sur son lit, voulut prendre sa dose quotidienne de médicament, mais soudain révolté de leur peu d'efficacité, saisit le pot à peine ouvert et le jeta avec violence sur le plancher de sa chambre où les comprimés rouges et noirs roulèrent en désordre.

Il se rappela alors une partie importante de son rêve, et son visage s'illumina soudain d'espoir. Sur la plage, dans une situation d'urgence, en faisant appel à ses forces intérieures, à la puissance de la foi, il *avait réussi à se lever à et marcher, comme par miracle*. Pourquoi ne parviendrait-il pas à en faire de même à l'état de veille? Ce que l'on vivait au cours de songes, ne pouvait-on le répéter dans la vraie vie? D'ailleurs, ce qu'on appelait probablement à tort la vraie vie était-il si différent de la vie de rêve? En tout cas, il valait la peine d'essayer.

Il se concentra, comme il avait fait dans son rêve, se répéta qu'il pouvait y arriver, si seulement il y croyait *vraiment*, puis se mit debout. Et un instant il crut que le miracle se répétait, qu'il avait recouvré l'usage de ses jambes. Mais cela ne dura qu'une fraction de seconde, le temps que son visage s'éclairât d'un sourire de triomphe vite assombri par la triste réalité. Il s'effondra bientôt, et comble de malheur, heurta en tombant la vieille bouteille de *Coke* dans laquelle il plaçait la rose sur laquelle il se concentrait quotidiennement avant de commencer à écrire.

La bouteille se brisa sur le sol, et John se blessa à la main. Le sang se mit à couler, mais il ne s'en préoccupa pas tout de suite, accablé qu'il était à la pensée que la vraie vie n'était pas aussi facile que les rêves, et qu'il était encore infirme. Mais il aperçut enfin le sang qui coulait, vérifia l'importance de la blessure, qui était bénigne, chercha un mouchoir dont il enroula sa main blessée, et resta quelques minutes songeur, pensant à Rachel et à sa vie qui décidément n'était guère facile malgré tout son optimisme. Rarement s'était-il senti aussi seul.

Trois heures plus tard, à son rendez-vous hebdomadaire à l'hôpital où le docteur Grant le traitait, une jeune et mignonne infirmière asiatique, très grande et très mince, s'informa de l'état de sa main, enveloppée dans un bandage plutôt inélégant, mais il la rassura. Ce n'était rien, une simple égratignure.

A sa demande, il avait revêtu une chemisette de patient, et il s'était allongé sur une longue table d'examen. L'infirmière entreprit de lui masser les jambes en lui expliquant:

— C'est très important qu'on vous masse régulièrement, pour votre circulation et pour conserver un certain tonus à vos jambes. Est-ce que vous êtes marié?

— Non.

— Vous avez une petite amie?

— Pas présentement.

— Ah bon, enfin vous devez bien avoir quelqu'un qui peut vous masser quotidiennement... dit-elle en continuant de le masser, s'attaquant maintenant, après avoir travaillé le pied gauche, au mollet.

— Non.

— Ah... Je... Enfin vous pouvez sûrement trouver quelqu'un...

— Est-ce que vous pouvez arrêter? lui demanda John au bout de quelques secondes.

— Je vous fais mal? demanda l'infirmière non sans une certaine surprise.

— Non.

— Alors... C'est nécessaire, cela fait partie de votre traitement.

Mais en prononçant ces paroles, elle comprit la raison de la requête de John. Elle avait relevé les yeux et vu que la chemisette de John s'était dressée comme une tente. Elle rougit comme une pivoine, abandonna aussitôt son traitement et ne sachant pas trop quoi dire, balbutia:

— Je... je m'excuse.

— Ce n'est pas votre faute. Apportez-moi un verre d'eau, s'il vous plaît. Avec beaucoup de glace.

— Oui, tout de suite.

Elle revint au bout de quelques secondes, que John avait diligemment occupées à se concentrer de toutes ses forces pour se «détendre»: entreprise vaine. La longue absence de tout contact féminin l'avait rendu non seulement hypersensible, mais pour ainsi dire très «tenace». Il avala d'un seul trait le grand verre d'eau, n'y laissant que la glace, devant les yeux de l'infirmière encore toute cramoisie qui dut bientôt constater que le traitement était inefficace.

— Un autre, dit John en tendant le verre vide.

A la fin du deuxième, il avait recouvré un certain calme, et l'infirmière, rassurée mais encore mal à l'aise, l'informa que le docteur Grant le verrait dans quelques minutes. Il entra en fait dès qu'elle eut quitté la salle et tendit une large main à John:

— Comment allez-vous, monsieur Blake?

— Comme sur des roulettes, plaisanta John en regardant son fauteuil roulant.

— Non, sérieusement.

— Je vais de mieux en mieux de jour en jour, Docteur. Je me suis inscrit au marathon de Boston, et je compte finir dans les premiers. Sauf que je vais devoir faire huiler les roues de mon fauteuil si je veux avoir des chances.

— Pas de progrès?

— Aucun.

— Mais pas de détérioration, non plus?

— Quand des jambes sont mortes, est-ce qu'elles peuvent être *plus* mortes?

— Non, mais...

— Pourquoi ne m'opérez-vous pas, Docteur?

— Une opération est risquée.

— Je risque de mourir d'ennui. Et puis les fesses commencent à me brûler, et ce n'est pas parce que je cours trop après les femmes.

— Il faut commencer par voir si les médicaments agissent.
— Ils n'agissent pas, vous le voyez bien.
— Il faut être patient. Dans quelques mois, peut-être...
«Dans quelques mois...» Il n'y pensait pas... Chaque jour était un véritable martyre dans ce fauteuil... Alors quelques mois... John n'insista pas mais, son examen terminé, il quitta l'hôpital dans un état de découragement encore plus grand que lors du premier diagnostic.

CHAPITRE 19

Où le jeune homme découvre la vie éternelle

En sortant de l'hôpital, John héla un taxi et demanda au chauffeur de le conduire au cimetière où son père avait été enterré, faisant un bref arrêt pour acheter une bouteille du meilleur cognac et un petit bouquet de fleurs.

En franchissant la grille métallique qui protégeait l'entrée du cimetière, le souvenir de l'enterrement lui revint en mémoire: les quelques membres de la famille qu'il ne voyait pour ainsi dire jamais, des cousins éloignés de son père, une vieille tante, quelques clients fidèles du bistrot, la brave Madeleine — la seule qui, à part John, paraissait vraiment touchée et en tout cas qui eût versé des larmes —, le prêtre visiblement éméché qui, pressé par un orage imminent, avait expédié son oraison funèbre, et toute cette assemblée un peu distraite qui s'était empressée de se signer et de quitter les lieux lorsqu'avait éclaté le premier coup de tonnerre.

John revoyait les premières pelletées jetées sur la tombe par les fossoyeurs qui, eux aussi pressés d'en finir avant l'orage, juraient contre le ciel et la lourdeur déplorable de la terre qu'une averse nocturne avait détrempée.

Le cœur gros, John n'avait pu s'empêcher de se dire que la vie d'un homme était bien peu de chose, que même nos proches nous oubliaient bien vite surtout si leur petit confort était menacé par quelques gouttes de pluie.

Et la réalité «physique» de l'enterrement — le trou béant, la tombe, la terre soulevée par les bras pressés — lui avait fait comprendre que tout était bien fini maintenant, qu'il ne reverrait jamais plus son père, et aussi curieux que cela pu paraître, il s'était fait la réflexion que même s'il avait trente ans bien sonnés, il était maintenant orphelin.

Il arriva devant la pierre tombale, une toute petite pierre, très modeste, voisine de celle de sa mère, proximité qui inspira à John cette pensée consolante qu'au moins son père et sa mère, inséparables dans la vie, s'étaient d'une certaine manière enfin retrouvés.

Il posa le petit bouquet au pied de la tombe de son père, trouva tout de suite qu'il manquait de respect ou en tout cas de tendresse envers sa mère, sépara les oeillets roses en deux et en fleurit la tombe maternelle.

— Salut *Dad*, dit-il. J'espère que tout va bien pour toi. Moi, c'est formidable. Comme tu peux voir, ça roule. Oh, d'accord, je suis en fauteuil roulant, peut-être paralysé pour le reste de ma vie, et je me suis séparé de Rachel... Après quelques mois on se lasse de la routine amoureuse, et il y a tellement de femmes qui me courent après, heureusement que mon fauteuil est rapide, d'ailleurs je songe à me faire installer un petit moteur turbo pour pouvoir semer les fans et les paparazzis...

Professionnellement, c'est super, je viens de fermer mon agence parce que j'étais débordé et que je n'avais pas le temps d'écrire les scénarios que les producteurs d'Hollywood me sollicitent à grand renfort d'avances de plusieurs centaines de milliers de dollars. Alors comme tu peux voir, la vie est belle... Et on va fêter ça...

Il tira de sa poche la flasque de cognac et un petit verre de plastique, acheté au même endroit, qu'il remplit jusqu'au bord et leva dans les airs:

— Où que tu sois, *Dad*, je bois à ta santé.

Il vida le verre d'une seule rasade puis le jeta de côté distraitement. Puis il vint pour jeter la flasque presque vide, mais se ravisa, visité par une inspiration soudaine, un peu bizarre. D'un coup d'oeil, il vérifia s'il n'y avait pas d'autres visiteurs dans le cimetière. — Même s'il y en avait eu, il était seul avec son père. Seul au monde. — Il s'avança vers la pierre qu'il toucha de sa main libre, non sans une certaine appréhension, un peu comme s'il avait été animé de cet absurde préjugé que la mort était contagieuse. Mais il s'habitua rapidement au contact froid et lisse de la pierre. Et il versa le reste de cognac sur la pierre tombale, la baptisant pour ainsi dire:

— Ca c'est pour toi, *Dad*. Je sais que tu aurais aimé ça, même si c'est un cognac *on the rocks* et que personne ne le boit comme ça, surtout pas toi.

Il eut un rire nerveux, puis il versa une larme, et toute la douleur qu'il ne cessait de refouler depuis des mois monta en lui d'un seul coup, le submergea.

Une scène étrange lui revint alors à l'esprit, qui s'était déroulée lors de son séjour chez le vieux millionnaire. Au hasard d'une conversation qui avait eu lieu au cours d'un repas, alors que le millionnaire avait tenté de lui expliquer que dans la vie tout était parfait, que tout arrivait pour le mieux, John avait protesté que son père était parti trop tôt.

— Trop tôt pour qui? demanda le vieil homme.

— Pour moi... dit John avec embarras.

— Il est parti juste à temps, chaque être, d'ailleurs, part à un moment précis, qui est assigné avant même sa naissance. Ce qu'il avait à faire ici était accompli, et il était attendu pour entreprendre une nouvelle étape de sa vie, ailleurs... Tu auras l'occasion de le croiser à nouveau, dans neuf ans...

— Dans neuf ans? demanda John très intrigué.

Et il pensa aussitôt que cela voulait peut-être dire qu'il mourrait dans neuf ans, seule façon de le revoir.

— Tu lui montreras sa cravate...

John porta la main à sa cravate, qui était effectivement la

cravate qu'il avait retirée du cou de son père juste après sa mort. C'était la deuxième fois que l'excentrique jardinier faisait allusion à sa cravate, la première étant lorsqu'il l'avait félicité, en le retrouvant à la terrasse d'un café. Avait-il deviné qu'elle avait appartenu à son père disparu? Il n'eut pas le temps de lui poser ces questions car le millionnaire l'invita à le suivre.

— Suis-moi, dit-il, je vais te montrer quelque chose.

Il le précéda dans l'escalier princier, et passant devant le portrait du Maître Jésus, il dit:

— De même que le Maître des Maîtres a dit qu'il y avait plusieurs demeures dans la demeure de Son Père, ta vie présente, comme celle de ton père, ne sont que des instants de votre Vie véritable. Tu ne t'en rends pas compte simplement parce que tu dors. Et c'est pour cela que les sages de tous les temps ont prié les hommes de se réveiller. «Veillez et priez», disait Jésus. Lorsque l'homme ordinaire prend un nouveau corps, ses guides lui font oublier ses vies antérieures, de manière à ce qu'il ne soit pas trop troublé en sa nouvelle incarnation.

Mais l'homme supérieur arrive à se remémorer tout ce qu'il a été, tout ce qu'il a vécu. Il sait également que la vie est éternelle, il sait que dix ans, vingt ans ne sont rien dans la vraie Vie, et ce sentiment lui donne une patience admirable. Il ne juge pas le temps avec la même mesure que les autres hommes, qui se découragent au premier obstacle et ne peuvent souffrir d'attendre un an, cinq ans, vingt ans avant de récolter le fruit de leur travail.

L'homme supérieur travaille avec la certitude intérieure qu'il a non seulement toute la vie devant lui, mais des dizaines de vies. C'est pour cette raison d'ailleurs que certains génies précoces accouchent de leur œuvre en très bas âge. A la vérité, ils s'y étaient préparés dans leur vie précédente, et parfois dans plusieurs vies antérieures.

Mieux encore, poursuivit le vieillard, l'homme supérieur est nanti d'une patience admirable et vit quotidiennement le détachement, comme un acteur qui ne confond pas sa personnalité véritable avec son rôle, parce qu'il sait que tout ce qu'il fait a pour but ultime de le transformer lui, intérieurement, de le perfectionner et que même s'il ne semble pas récolter de fruits en cette vie, il en récolte tout de même, parce que sa nature se transforme. Comme l'alchimiste qui semble travailler à la transformation extérieure du plomb en or, son œuvre véritable, son «parergon» comme on dit en langage ésotérique, c'est la transformation de son âme, le passage en lui de l'homme ancien à l'homme nouveau.

Ce sentiment, cette connaissance lumineuse lui donne la liberté et lui ôte toute crainte de la mort. Accomplissant chaque jour ce qu'il doit accomplir, ne se souciant pas du fruit de ses actions même s'il s'y applique de tout cœur, il est prêt à partir sans préavis, le jour même, si sa mission, qui est au fond toujours la même — la transformation de son être qui le mènera au devoir d'aider les autres à se transformer —, doit se poursuivre ailleurs, en un autre lieu, avec d'autres compagnons. Car vaste est la vraie Vie, dix mille fois plus vaste que l'idée que tu peux actuellement t'en faire.

Il se tut et entraîna John vers deux grandes portes peintes en blanc et or, qu'il ouvrit pour introduire son visiteur dans une grande pièce, complètement vide, sans aucun meuble ou tapis, éclairée par un immense puits de lumière circulaire, à la vérité un dôme de verre décoré de vitraux figurant différentes variétés de roses.

Les deux hommes traversèrent la pièce, et le millionnaire s'arrêta devant une grande porte noire, très massive, dont la poignée dorée figurait un serpent qui se mord la queue, symbole alchimique de l'accomplissement, du contentement de soi et du retour à la demeure céleste qui réside, le plus souvent oubliée, dans le cœur de chaque homme.

Le millionnaire fit tourner la poignée, poussa la porte et laissa entrer John dans une pièce qui était en fait une immense penderie, ou pour mieux dire un *walk-in closet*. John s'y avança timidement et reconnut alors, à sa grande surprise, ses propres vêtements.

Il toucha une veste, une vieille veste marine aux boutons dorés, qui était bel et bien la sienne, et qu'il avait cessé de porter il y a un an à peine, parce qu'elle était tout élimée, pour mieux dire presque en loques tant il l'avait usée. Il avait cette manie — encouragée par de maigres émoluments du reste lourdement taxés par son habitude invétérée de manger trois fois par jour au restaurant — de s'attacher à ses vêtements comme on s'attache à un chien et de ne s'en défaire qu'*in extremis*.

Des frissons parcoururent son corps, comme il nous arrive presque invariablement en présence d'un phénomène non seulement étrange mais qui lève le voile sur ce que nous sommes véritablement et nous donne momentanément accès à cette science troublante — et seule importante — que nous négligeons si insouciamment, puisqu'elle n'est pas à la mode: celle de notre âme.

Comment sa vieille veste s'était-elle retrouvée là? Nouveau mystère qu'il n'aurait su expliquer mais tout était si étrange dans cette demeure. Il n'était pas au bout de ses étonnements car derrière sa veste marine était suspendue une autre veste, en suède brun, qu'il avait adorée lorsqu'il avait seize ans.

Il entra dans une sorte d'état second que ne fit qu'accentuer la vue de son habit de première communion, qui ne cacha qu'un instant le petit pyjama de Pierrot lunaire que sa mère lui avait amoureusement confectionné pour son premier anniversaire et qu'il reconnut pour l'avoir vu sur des photos d'enfance.

Suivaient ensuite des vêtements qu'il ne reconnut pas, et qui paraissaient beaucoup plus anciens, comme s'ils avaient appartenu à son père, dans sa jeunesse, car malgré sa connaissance très approximative de la mode, John pouvait évaluer qu'ils remontaient aux années 20. Puis un vêtement de page de la Renaissance, d'un rouge très vif, faisait contraste avec la lourde soutane brune qui semblait avoir appartenu à un moine franciscain.

Se succédaient ainsi des vêtements de presque chaque siècle, qui constituaient pour ainsi dire une histoire rapide du vêtement à travers le temps. La série se terminait par une très belle tunique de lin blanche, qui semblait remonter à l'époque du Christ.

Lorsque John, encore sous le choc, et ne comprenant pas vraiment de quoi il s'agissait — une partie de lui pourtant le devinait, le pressentait — se tourna vers le millionnaire pour obtenir une explication ou tout au moins des éclaircissements, ce dernier se contenta de dire, communiquant à John les frissons d'or de la connaissance véritable:

— Tu as porté tous ces vêtements.

CHAPITRE 20

Où le jeune homme découvre la puissance de l'objectif

Pour se consoler, pour oublier, John ne trouva d'autre expédient que de se remettre résolument au travail. En un mois, il compléta une nouvelle version de son scénario, qui malheureusement ne trouva pas davantage grâce aux yeux de Steve, l'employé du club vidéo qui avait déjà jugé sévèrement sa première tentative. Ce nouveau coup ébranla profondément sa confiance.

Décidément, il s'était embarqué dans quelque chose qui était beaucoup plus difficile qu'il n'avait cru, et il s'était sans doute montré fort présomptueux en voulant s'improviser scénariste, comme le serait quelqu'un qui se croit mathématicien parce qu'il peut calculer sa facture d'épicerie! Il eut envie de renoncer, de retourner à l'agence Gladstone et de demander — si nécessaire de supplier — son patron de le reprendre. Après tout, il avait été, pendant des années, un brillant et loyal employé.

Certes, il avait remis sa démission de manière un peu cavalière, sans préavis, et en faisant perdre à son patron un client important. Mais qui sait, Gladstone avait peut-être déjà oublié, il serait peut-être prêt à passer l'éponge. John avait fait ses comptes, et ses finances étaient en très mauvais état.

En se serrant la ceinture, il n'avait plus de quoi tenir que trois ou quatre mois, cinq au plus, et une angoisse qu'il n'avait pas connue tant qu'il avait eu un emploi régulièrement rémunéré commençait à le tenailler: celle de crever littéralement de faim, de devoir quitter son appartement dont il ne pourrait même plus payer le loyer, pire encore, de devoir vendre sa bien-aimée *Mustang*, ultime outrage du mauvais sort.

Mais il se rappela la lente agonie, le long et systématique «suicide» de sa dernière année à l'agence Gladstone, et se dit qu'il ferait tout son possible pour ne pas y retourner. Au fond, écrire un bon scénario ne devait pas être si difficile que cela! Il avait souvent lu des histoires de débutants qui y étaient arrivés du premier coup, par exemple celle de cette serveuse de Los Angeles qui était parvenue à vendre à Michael Douglas, pour 250 000 $, son premier scénario qui était devenu le succès de box office: *Romancing the Stone*.

C'était donc possible. Seulement, il ne devait pas s'y prendre de la bonne manière. Confortablement calé dans son fauteuil préféré, une vieillerie dénichée chez un brocanteur, il méditait à ces questions, entouré des feuilles éparses de sa seconde version que, dans son découragement, il avait jetées autour de lui, lorsque lui revint en mémoire la scène étonnante qui s'était déroulée chez le millionnaire quand il lui avait parlé de l'importance primordiale de se fixer un objectif.

Les deux hommes se trouvaient sur la plage qui s'étendait à l'extrémité de la roseraie du millionnaire.

— Combien comptes-tu faire d'argent avec ton premier scénario?

— Je ne sais pas, dit John, qui trouva la question terre à terre.

— C'est une erreur.

— Comment puis-je prévoir ce que je vais gagner, si d'ailleurs je réussis à le vendre?

— Tu ne t'y prends pas de la bonne manière. C'est la méthode des gens ordinaires, qui sont réalistes, et qui finalement ne réalisent jamais rien de grand. Il faut que tu commences par te fixer un objectif précis, un montant précis. Ainsi, tu mettras en branle tes forces intérieures, et ton génie saura dans quelle direction travailler. Avant de faire un voyage, on fait un plan, on établit sa destination, sinon on se retrouve n'importe où et en général, pas à l'endroit où on voulait aller. Alors combien comptes-tu gagner par la vente de ton premier scénario?

— Je ne sais pas, 10 000 $?

Le millionnaire éclata de son rire cristallin.

— Nous avons vraiment beaucoup de travail à faire avec toi. Fais un effort, choisis un chiffre plus significatif.

— Je ne sais pas. 25 000 $?

— Ah, allez, n'aie pas peur de voir grand. Tu veux devenir millionnaire ou non?

— Cent mille dollars ?

— Bon, c'est déjà mieux. Mais pourquoi pas 250 000 $?

— D'accord, 250 000 $.

— Est-ce que tu crois vraiment que tu peux gagner ce montant?

— Oui, enfin je sais que ce n'est pas impossible, que de telles sommes ont déjà été payées pour des premiers scénarios, et même des sommes supérieures.

— Et combien de temps te fixes-tu pour écrire et vendre ce scénario?

— Je n'y ai pas encore pensé. Est-ce vraiment important? L'inspiration est capricieuse. Un scénario n'est pas quelque chose qu'on écrit en quelques semaines. Il faut laisser mûrir l'histoire.

A nouveau le jardinier laissa éclater son rire inimitable. On aurait dit un adolescent à qui on venait de raconter la plus hilarante histoire du monde.

— Tu as vraiment un grand sens de l'humour, dit-il lorsque son rire se fut enfin apaisé.

Et après un silence:

— Je vais faire un pari avec toi.

— Un pari?

— Oui. Tu vois ce parasol là-bas, dit-il en désignant un

parasol bleu et or qui, à environ deux cents mètres d'eux, jetait une ombre bienvenue sur un couple d'octogénaires.

— Oui.

— Je te parie que je peux m'y rendre plus vite que toi.

— Vous me proposez une course à pied?

— Oui, exactement.

— Mais, je... Malgré tout le respect que je vous dois, je... Enfin je suis beaucoup plus jeune que vous, et...

— Je ne te demande pas quel âge tu as, je te demande si tu es prêt à parier. Tu as peur de perdre ou quoi?

— Non, si vous y tenez, protesta John, piqué au vif.

— Alors on parie combien? 1 000 $?

John avala sa salive. Il n'avait pas un pareil montant en tête. Mais il était avec un millionnaire, et ne dit-on pas qu'à Rome, il faut vivre comme les Romains?

— Oui, c'est d'accord, dit-il.

Le millionnaire l'entraîna alors vers la cabine qui servait de remise de plage aux visiteurs du domaine, une pimpante petite construction de bois rouge et blanche où étaient entreposés gilets de sécurité, bouées de sauvetage, planches à voile, rames, parasol enfin tout l'arsenal du parfait plagiste. Il ouvrit la porte, qui n'était ni fermée à clé ni cadenassée et en tira de très longues échasses sur lesquelles il grimpa avec une agileté déconcertante pour un homme de son âge. Avant, il avait relevé jusquà mi-cuisses son pantalon, découvrant des jambes fines et musclées, totalement dépourvues de graisse ou de varices, en fait complètement dénuées des signes naturels de l'âge.

— Je suis prêt, déclara-t-il.

— Je ne pensais pas que... voulut protester John, qui n'avait pas prévu que le vieux jardinier aurait recours à des échasses pour faire la course.

Mais il se ravisa. Avec ou sans le secours de ces échasses, un septuagénaire ne pouvait d'aucune manière inquiéter un jeune homme de son âge, en pleine possession de ses moyens physiques.

— Un problème?

— Non, non, rectifia John. Quand vous serez prêt.

— Un, deux, trois, partons, proclama gaîment le millionnaire.

Et il détala littéralement, maniant avec une dextérité renversante ses deux longues échasses avec lesquelles il se mit à arpenter la plage comme sur un compas géant. Au début, pris de surprise, John se laissa devancer, parfaitement confiant qu'il rattraperait sans peine le vieillard. Il accéléra mais se rendit compte que le millionnaire avait fait de même. Maintenant, il avait une dizaine de mètres d'avance sur lui. Ce qu'il n'avait pas prévu, c'est que le sable était mou et que ses pieds s'y enfonçaient à chaque foulée si bien qu'il ne pouvait avoir une prise ferme et qu'il dépensait inutilement son énergie alors que les échasses du millionnaire paraissaient voler sur la plage. Enragé, John trébucha, se releva, courut le plus vite qu'il put mais arriva deuxième au fil d'arrivée, le parasol bleu et or.

Toujours sur ses échasses, le millionnaire se tourna vers lui, un large sourire aux lèvres, pas le moins du monde essouflé alors que John, fumeur invétéré, cherchait désespérément son souffle.

— Mille dollars, dit le millionnaire qui sauta alors au bas de ses échasses qu'il plaça ensuite sur ses épaules. Tu me dois mille dollars.

— Je... dit John encore essouflé et portant les mains à ses poches.

— Ce n'est pas grave, tu me paieras plus tard.

En retournant vers la cabine pour y ranger les échasses qu'il ne fit d'ailleurs qu'appuyer contre la porte, le millionnaire expliqua:

— L'objectif, c'est comme des échasses. Il permet à un homme de mon âge de gagner une course contre un jeune homme comme toi. La plupart des hommes n'utilisent qu'une infime partie de leurs possibilités. Avec un objectif élevé, tu te dépasses. Penses-y dans tout ce que tu entreprends. Mais n'oublie pas qu'il doit y avoir deux choses dans un objectif. De même que je n'aurais jamais pu gagner la course si je n'avais eu qu'une seule échasse, il faut que tu te fixes un montant, et un délai pour l'atteindre. Sinon, c'est comme si tu étais dans une barque, sur un lac, et que tu ne ramais qu'avec une seule rame du même côté. Tu as beau ramer de toutes tes forces, tu as beau être plein de bonne volonté, tu tourneras toujours en rond, tu végéteras. Alors que celui qui a un objectif clair et précis, avec un montant à atteindre et un délai, même s'il est moins doué que toi, moins instruit, et moins assidû, avancera sûrement vers son objectif et tu te demanderas, comme les autres, comment il peut devancer tout le monde. Telle est la magie de l'objectif et la puissance de ceux qui voient grand.

Il posa alors un genou dans le sable et écrivit le montant qu'ils avaient arrêté plus tôt pour la vente future de son scénario: 250 000 $.

— A toi, maintenant. Inscris le délai que tu t'accordes pour réaliser ton objectif.

John se pencha à son tour et après une hésitation il nota:

— Trois mois.

— Non, le reprit le millionnaire, il faut que tu choisisses une date. La date à laquelle nous serons dans trois mois.

John fit un rapide calcul et, ayant effacé «trois mois», il nota à la place la date.

Le millionnaire le regarda avec satisfaction, comme s'il venait d'accomplir quelque chose de vraiment grand, puis il tendit la main vers la mer et dit:

— Il faut maintenant que tu te répètes ton objectif matin et soir, aussi souvent que les vagues de la mer frappent la plage car la vie nous fait oublier nos buts aussi sûrement que le vent efface ce que nous écrivons dans le sable. C'est la meilleure manière de faire entrer en toi ton objectif et de le communiquer à ton génie qui, alimenté par ces ordres, se mettra aussitôt en marche. Tu seras étonné de la puissance que ton génie peut mettre à ta disposition lorsque tu lui donneras ainsi des ordres clairs et précis.

— Je n'y manquerai pas, dit John.

Il y eut un moment de silence entre les deux hommes, qui se souriaient, animés d'une sympathie mutuelle évidente. Jamais John n'avait eu une relation pareille avec personne. Rarement avait-il senti autant d'amitié véritable, pour mieux dire d'amour désintéressé chez un pur étranger, et même chez un parent, et ce en dépit de toute l'ironie que pouvait parfois déployer le vieil homme.

Des cris de détresse venus de la mer brisèrent alors leur silence. Les deux hommes se tournèrent et aperçurent, à une centaine de mètres du rivage, une adolescente qui était visiblement en train de se noyer. Ne faisant ni un ni deux, le millionnaire se précipita à sa rescousse, et John l'imita, mais fut surpris de voir que même sans échasses, le vieil homme le devançait aisément, déployant des enjambées rapides et longues, comme un véritable athlète.

En fait, il arriva au bord de l'eau bien avant John, s'y enfonça jusqu'à ce qu'il dût plonger, nagea intrépidement vers l'adolescente qu'il sortit vigoureusement des flots et s'empressa de ramener sur le rivage où il l'allongea, inconsciente. Comme elle ne respirait plus, il lui administra aussitôt un massage cardiaque, exerçant des deux mains une pression sur sa poitrine, qu'il relâchait aussitôt après. Au bout de quelques secondes, la jeune fille toussa, cracha une grande quantité d'eau et ouvrit les yeux, sauvée.

Des curieux — et ses parents — commencèrent à s'approcher, mais dès qu'il vit que sa présence n'était plus nécessaire, le millionnaire se leva sans attendre et dit à John:

— Viens...

Et il s'éloigna d'un pas vif, tout en descendant les jambes de son pantalon. John le suivit sans protester admirant une dernière fois les jambes athlétiques et surprenantes de son mentor.

— Vous lui avez sauvé la vie.

— Il est dit que lorsqu'on sauve une vie humaine, on sauve toute l'humanité. Et c'est une grande chose, dit le millionnaire.

Mais c'est une plus grande chose encore de libérer un être, parce qu'alors, il n'est plus obligé de revenir ici, et de mourir à nouveau, ce qui est le sort des hommes ordinaires. Et en libérant un homme, on libère toute l'humanité. Car une fois qu'un homme est libéré, son devoir immédiat, impérieux et incontournable est de libérer à son tour un autre homme, dont le devoir sera le même avant de s'en aller lui aussi. Il existe à travers toute l'histoire véritable — qui n'est comme l'a dit Nietzsche que la suite des détours que prend la nature pour créer un grand homme — un fil d'or ininterrompu depuis des âges qui est transmis d'un initié à l'autre et qui constitue la véritable histoire à côté de laquelle l'autre n'est que la triste narration de guerres et de misères absurdes.

Une question tracassait John depuis le début de sa rencontre avec le millionnaire, et ce qui venait de se passer n'avait fait qu'attiser sa curiosité. Aussi osa-t-il demander:

— Mais... quel âge avez-vous au juste?

— Quel âge me donnes-tu?

— Je ne sais pas. Si j'en juge par la manière dont vous courez... D'ailleurs, à voir comment vous courez, je me demande pourquoi vous avez voulu utiliser des échasses.

— Je voulais me donner un désavantage. Je ne voulais pas humilier un jeune homme de trente ans.

— Mais quel âge avez-vous donc?

— Tu ne me croiras probablement pas mais j'ai cent deux ans.

— Cent deux ans? Mais c'est impossible!

— De la montagne d'où je viens, je suis encore considéré comme un jeune homme, parce que mes frères ont découvert le secret de la jeunesse. Notre société nous inculque des idées fausses sur l'âge et la jeunesse. L'homme est programmé génétiquement pour vivre jusqu'à cent vingt ans. Mais notre éducation fait que nous considérons vieux un homme de soixante ans, alors qu'il devrait être dans la force de l'âge. Ce qui fait vieillir prématurément l'homme, c'est qu'il ne vit pas au présent, et qu'il ne vit pas dans l'amour. L'homme qui aime chaque être, chaque situation, qui ne se soucie pas de son avenir et ne porte pas le fardeau du passé, cet homme ne vieillit pour ainsi dire pas. La maladie n'a pas de prise sur lui, car il vit en harmonie, et la maladie n'est que le message qui nous est envoyé lorsque notre harmonie intérieure est rompue par notre mauvaise attitude mentale. Penses-y. Essaie de te rappeler la dernière journée où tu n'as eu aucune pensée, aucune parole de haine envers quelqu'un. Sois vigilant. Et transforme chacune de ces pensées en pensée d'amour. Redeviens un enfant qui accueille les autres à bras ouverts, sans préjugé, sans haine. Ce qui fait aussi vieillir l'homme ordinaire, c'est qu'il mange deux fois trop, et respire dix fois trop peu, laissant dormir son potentiel véritable.

Les deux hommes passèrent près d'une bande d'enfants qui érigeaient diligemment un château de sable. Le millionnaire ralentit, et désigna les enfants dont l'industrie était admirable, les uns érigeant des tourelles, les autres revenant de la mer avec des seaux pleins d'eau pour remplir les tranchées qui protégeaient le château.

— Si les hommes ordinaires craignent par-dessus tout la mort, c'est qu'ils n'ont jamais été véritablement heureux une seule fois de leur vie, pas même un instant. La crainte de la mort vient de ce désir naturel de l'homme de connaître au moins une fois le bonheur avant de partir. Et si les hommes sont malheureux, c'est que comme ces enfants ils passent leurs journées à construire un château de sable et s'étonnent au matin que la mer et le vent aient tout balayé. Ne fais pas la même erreur. Tourne-toi vers l'intérieur. Découvre Dieu dans ton cœur, et dans celui de chaque être que tu rencontres.

En arrivant près de la cabine, John regarda sur la plage à l'endroit où le millionanire et lui avaient tracé l'objectif. La date qu'avait tracée John avait été balayée complètement par le vent, et n'était plus visible. Mais, mystérieusement, le chiffre tracé par le millionnaire était encore parfaitement lisible.

CHAPITRE 21

Où le jeune homme pense à la vie qu'il a perdue

Même si ses réserves financières s'épuisaient rapidement, John voulut s'accorder une pause de quelques jours avant de s'attaquer à la nouvelle version de son scénario. Taxé par des heures interminables de travail intellectuel, son système nerveux était fragile.

Dans l'oisiveté relative qu'il s'imposa avant de remettre le collier littéraire, il songea qu'il devait renoncer pour de bon à Rachel, parce que cela le détruisait. Et le cœur gros il se livra à un petit cérémonial qui consistait à ranger au fond d'un tiroir tous les objets qui lui rappelaient son souvenir, qui lui rappelaient son amour: son portrait, les deux chèques jamais encaissés, sa broche dorée, la bague de fiançailles... Il écouta une dernière fois *Unforgettable*, religieusement, puis brisa le disque.

Il parvint même à ne plus penser trop souvent à elle, se surprit même à la fin d'un après-midi à constater qu'il avait passé deux heures entières sans qu'aucune de ses pensées ne le conduisît vers elle. Il se crut bientôt guéri d'elle, mais un soir, en montant dans un taxi, il entendit la voix chaude et troublante de Gloria Estevan qui chantait: «*Here we are...*» et la mémoire de son cœur s'ouvrit à nouveau. Et il se revit danser sur ce même air avec Rachel sur la terrase du *El Campanario*, un magnifique restaurant à flanc de montagne dont la vue donnait sur la baie d'Acapulco.

Et il comprit qu'il s'était leurré, qu'il ne l'avait pas oubliée, qu'il ne l'oublierait probablement jamais.

— Où allez-vous? lui demanda pour une deuxième fois le chauffeur qui, voyant ses yeux humides, se demanda si son client n'était pas sous l'effet d'une drogue quelconque.

— N'importe où. Manhattan, se reprit-il. Je veux simplement voir du paysage.

Sur le pont de Brooklyn, les gratte-ciel illuminés de New York, qui habituellement le fascinaient, ce soir-là le laissèrent indifférent. Il pensait à sa bêtise d'avoir laissé échapper Rachel.

Il pensait que non seulement il avait laissé partir une femme extraordinaire, une maîtresse sensuelle et fantaisiste mais aussi une femme qui aurait été une mère parfaite pour les enfants qu'il rêvait depuis longtemps d'avoir. Il se rappela, avec cette précision hallucinante que seule confère la douleur, une des scènes les plus touchantes auxquelles il lui avait jamais été donné d'assister.

C'était un samedi magnifiquement ensoleillé et, vers midi, il était allé retrouver Rachel chez elle pour une randonnée à la campagne. Excité par un soleil exceptionnel, il était arrivé un peu à l'avance, alors que Rachel n'avait pas encore terminé de nourrir la «bande des quatre», quatre enfants pauvres du quartier auxquels elle offrait le couvert au moins deux fois par semaine, parfois plus, lorsque ses maigres moyens le lui permettaient.

Lorsqu'il arriva, Rachel, surprise de le voir si tôt, le fit entrer et s'empressa de reprendre le téléphone. Elle était en train de commander une pizza pour ses quatre gamins affamés.

— Un pizza extra large végétarienne, dit-elle.

— Avec extra peperoni, hurla Tan, un petit Vietnamien de dix ans qui passait son temps à essayer de faire de l'argent, n'hésitant pas à recourir à des combines pas toujours très nettes.

Après une hésitation, Rachel se dit qu'après tout, ce n'était que des enfants, et que le peperoni ne pouvait être si néfaste.

— Avec peperoni, ajouta-t-elle.

— Et de la saucisse! exigea Fred, un gamin de huit ans très athlétique, qui avait la passion du golf et qui rêvait de suivre les traces de celui qui portait le même prénom que lui, Fred Couples.

— De la saucisse aussi, céda Rachel.

— Et du jambon, pour ma maman, dit José, un Mexicain âgé de cinq ans mais qui en paraissait à peine quatre, vu sa petite taille.

— Et du jambon. Oui, c'est exact. Une extra large végétarienne avec peperoni, saucisse et jambon... récapitula Rachel, en dodelinant de la tête devant l'absurdité de ce qu'elle venait de dire.

Elle se tourna vers John qui la regardait, souriant, ému par sa beauté et sa gentillesse, et elle haussa les épaules, comme pour montrer qu'elle était impuissante devant ces enfants qu'elle adorait.

— Elle n'est plus végétarienne, la pizza, commenta fort logiquement Jennifer, une adorable blondinette de douze ans, intellectuelle surdouée, avec de grands yeux bruns très expressifs. Ils sont cons.

— Je sais, dit Rachel. Mais ne leur dis pas trop. Ce ne sont que des hommes.

— C'est ce que ma mère dit, commenta Jennifer.

John s'avança, et Rachel le présenta aux enfants, qui le voyaient pour la première fois.

— Est-ce que vous êtes mariés, tante Rachel et toi? demanda Jennifer.

Rachel rougit.

— Non... Nous sommes seulement des amis.

— Est-ce que vous faites l'amour quand même?

— Tu es très curieuse, répliqua John.

— Jennifer, ce ne sont pas des questions qu'une petite fille de ton âge pose.

— Tu tombes dans les stéréotypes sexistes post-modernes.

— Eh toi, la tança avec amusement Rachel, ne sois pas trop intelligente.

Quinze minutes plus tard — la pizzeria était au coin de la rue —, la pizza arriva, énorme et odorante, et John refusa de laisser payer Rachel. Elle la posa sur la table, l'ouvrit, et cria en claquant des mains:

— Les enfants, à table maintenant!

Jennifer, José et Tan se précipitèrent comme des loups, mais Fred resta rivé devant le téléviseur: à sa grande joie, il était tombé sur un reportage sportif qui montrait les grands moments du tournoi de golf de la veille. Couples, son idole, était sur le vert du dix-huitième trou qu'il avait atteint en deux coups, et alignait un roulé important.

— Fred, qu'est-ce que tu fais? On mange, dit Rachel.

— Silence, s'il vous plaît, Fred Couples est en train de putter pour un *eagle*.

Sa remarque naïve, et le sérieux avec lequel il la prononça firent sourire Rachel et John. Le roulé exécuté à la perfection, Fred applaudit, et vint rejoindre les autres enfants à table. Rachel leur avait servi de larges portions et de grands verrres de Coca Cola, leur boisson préférée.

— As-tu mangé? demanda-t-elle à John.

— Je prendrai un Coke seulement. De toute manière, on pique-nique tout à l'heure, non?

Elle le lui versa, et, tout en le sirotant, il regarda les enfants engloutir gaîment leur pizza, admirant la belle générosité de Rachel qui, malgré un salaire plus que modeste trouvait de quoi nourrir ces enfants défavorisés.

— Et puis? Comment ça va, José? demanda Rachel.

— Ça va bien, dit le garçonnet en s'essuyant les lèvres avec une serviette de table en papier. On vient de déménager dans une nouvelle maison.

— Ah, c'est bien, dit Rachel. Il va falloir que tu me donnes ta nouvelle adresse.

— Mais non, dit le jeune Mexicain d'un air étonné, si je te la donne je n'en aurai plus.

Rachel, sourire aux lèvres, regarda John avec attendrissement, et laissa José se replonger dans sa pizza.

— Il est con, dit Tan.

— Et toi, Tan, ça va?

— Oui, oui... répondit-il sans grande conviction.

— L'école?

— Tous des cons, les profs...

— Oui, évidemment, mais il faut quand même que tu fasses un effort... Si tu veux réussir dans la vie... As-tu finalement décidé ce que tu voulais faire plus tard?

— Je veux être millionnaire et coucher avec toutes les femmes comme Magic Johnson.

— Macho, l'accusa Jennifer.

— Macho toi-même.

— Qu'est-ce qu'on mange maintenant? demanda Fred qui venait d'avaler le dernier morceau de pizza, et tenait ses ustensiles plantés sur la table, en position d'attaque, immédiatement imité en cela par les trois autres enfants.

Il lui faisait le coup presque chaque fois.

— Je vais vous battre, bande de petits monstres. Allez, il faut que vous partiez maintenant. John et moi nous allons à la campagne.

— Jouer au golf? demanda Fred.

— Non, pique-niquer.

— Ah! c'est chiant pique-niquer avec une femme.

— Macho, lui dit à nouveau Jennifer, qui s'était levée de table. Je ne sais pas pourquoi je continue de venir manger avec des arriérés mentaux.

— Est-ce que vous pourriez me prêter vingt dollars, monsieur John? demanda Tan qui essayait de taper tous les nouveaux amis qu'il se faisait.

— Vingt dollars?

— Tan, tu as le culot de demander de l'argent à notre nouvel ami?

— Si on ne peut pas emprunter de l'argent à un ami, alors ça sert à quoi d'avoir des amis?

— C'est vrai, approuva Fred. Moi aussi, je prendrais vingt dollars.

John avait sorti son portefeuille, mais Rachel protesta aussitôt:

— Non, non, John, je ne veux pas que tu leur donnes de l'argent.

— Seulement cinq dollars chacun.

— Bon, d'accord. Mais à une seule condition, c'est que vous n'alliez pas dépenser cet argent aux Arcades, dit Rachel aux enfants, qui s'empressèrent de promettre.

Les Arcades, c'était l'endroit réservé aux jeux électroniques où ils flânaient souvent, gaspillant temps et argent, séchant leurs cours. Les enfants s'étaient précipités vers John pour toucher leur cinq dollars, à l'exception de José qui enveloppait soigneusement une pointe de pizza dans une serviette de table.

— Qu'est-ce que tu fais, José? Tu n'as pas mangé toute ta pizza? demanda Rachel.

— Non, dit le petit Mexicain avec une candeur désarmante. C'est pour ma maman.

Les larmes montèrent aux yeux de Rachel devant la générosité, l'abnégation de cet enfant, qui même s'il aurait pu dévorer dix morceaux de pizza, en avait gardé un pour sa maman.

Dans le taxi qui le conduisait au hasard dans Manhattan, John repensait à cette scène, au vide de sa vie actuelle. Comme ces enfants lui manquaient, comme Rachel lui manquait! Tout était si merveilleux en sa compagnie. Elle donnait vie aux choses, aux êtres. Parce que, contrairement à la plupart des gens qu'il avait rencontrés, elle vivait avec son cœur, et non pas qu'avec sa tête, ce qui ne l'empêchait pourtant pas d'être dotée d'une grande vivacité d'esprit.

Il prit alors une décision très rapide, demanda au chauffeur de taxi de retourner dans Brooklyn, et lui donna l'adresse de Rachel, mais lui fit faire un petit détour par chez lui pour prendre la bague de fiançailles.

Sa résolution était prise. Il lui dirait toute la vérité. Elle n'aurait d'ailleurs pas trop de difficulté à le croire, vu l'évidence de son infirmité. Alors il lui demanderait, il la supplierait de le reprendre, mais à la seule condition qu'elle ne le reprît pas par simple pitié, parce qu'il était paralysé. Peut-être qu'en sa présence, grâce à son amour immense, finirait-il par recouvrer la santé. Ses médecins ne lui avaient-ils pas dit qu'une rémission était possible, bien que ce fût difficile de fixer une date? Un mois, six mois, un an...

Avec l'amour de Rachel, il traverserait plus aisément cette épreuve car le seul malheur, le véritable enfer n'est-il pas d'être séparé de l'être qu'on aime?

Il demanda au chauffeur de s'arrêter à la porte de l'immeuble qu'elle habitait, de l'autre côté du trottoir, et d'attendre. Il était pris d'une hésitaiton, son cœur battait plus vite non seulement à la simple idée de parler à Rachel mais de la revoir.

— Savez-vous que vous en avez déjà pour quarante-deux dollars? lui dit le chauffeur qui commençait à être agacé par ses caprices et s'inquiétait de ne pas être payé, quoi qu'il ne craignît évidemment pas de le voir s'enfuir.

— Oui, oui, dit John, qui pour le rassurer le régla tout de suite.

— Ce n'était pas nécessaire, dit le chauffeur qui avait cependant peine à cacher son soulagement.

John remettait son portefeuille dans ses poches lorsqu'il eut un grand coup au cœur. Rachel en effet sortait de son appartement accompagnée d'un très élégant quadragénaire — il avait quarante-six ans — qui la tenait par le bras. Avocat d'origine française qui pratiquait à New York depuis des années, Louis Renault courtisait Rachel bien avant qu'elle n'eût rencontré John.

Pour elle, il avait même rompu ses fiançailles avec une riche veuve, Gloria Steinberg, qui depuis ce jour l'attendait patiemment, car malgré sa trahison, elle continuait de l'avoir dans la peau, maladie qui ne se cure pas si aisément quoi qu'on fasse. Mais en bonne partie à cause de leur différence d'âge —

il avait le double du sien et pour cette raison plaisantait d'ailleurs qu'elle avait l'âge idéal pour être sa moitié —, Rachel l'avait toujours poliment refusé, lui proposant son amitié au lieu de la passion qu'il recherchait.

Lorsque John l'avait quittée, si brusquement et contre toute attente, Louis Renault avait été là, lui avait offert son soutien, se montrant d'une courtoisie, d'une délicatesse qui avaient fini par vaincre ses ultimes réticences à son endroit.

John se rappela tout de suite la fois où il avait téléphoné à Rachel sans oser lui parler. Ce devait être le Louis en question dont Rachel avait prononcé le nom.

John n'en revenait pas. Il eut un mouvement de révolte, choqué que l'homme qu'elle eût choisi fut non seulement beaucoup plus âgé qu'elle mais visiblement très fortuné du moins si on en jugeait par la Mercedes décapotable dont il ouvrait galamment la portière à Rachel.

Elle n'avait pas perdu de temps. Il se dit tout de suite qu'il était idiot d'entretenir de telles pensées, que c'était lui qui avait quitté cette femme, sans même lui demander son avis, et que du reste il l'avait du même coup congédiée, ce qui avait dû la plonger dans un état de désespoir sans nom. Elle avait bien le droit de refaire sa vie avec qui bon lui semblait, et sans lui demander son avis. L'avait-il consultée, lui, avant de la quitter, de la congédier? Il avait simplement été l'artisan de son propre malheur, et maintenant il en récoltait les fruits amers.

Rachel quoiqu'un peu plus enveloppée, n'avait rien perdu de sa beauté. Il les regarda monter dans la voiture puis s'éloigner. Louis Renault se tourna vers elle et fit sans doute un plaisanterie, car Rachel éclata de rire puis lui donna une petite tape sur l'épaule. Et ce rire, cette tape furent un nouveau coup au cœur pour John.

C'était la preuve que Rachel avait une vie nouvelle et que, somme toute, elle s'était assez bien remise de sa séparation. Il comprit qu'il l'avait perdue à tout jamais. Alors, tout simplement, il eut envie de mourir.

CHAPITRE 22

«Apaise-toi et sache, je suis Dieu»

Il donna un généreux pourboire au chauffeur de taxi qui l'aida à monter dans son fauteuil, et il se mit à rouler à toute allure sur les trottoirs. Aux feux rouges, il ne s'arrêtait pas, espérant peut-être qu'un conducteur réglerait pour lui un problème devenu trop lourd, trop pénible — sa vie.

Une voiture passa effectivement à deux doigts de le renverser, mais le conducteur le vit à la dernière minute, freina, donna un brusque coup de volant, faillit emboutir un lampadaire, et klaxonnant, hurlant après John, il l'évita. Le conducteur de la voiture qui venait en sens inverse n'eut pas la même chance. Voyant John au dernier moment, il n'eut pas un réflexe aussi heureux, et heurta une voiture qui venait vers lui.

Alors ce fut le carambolage: sept ou huit voitures vinrent soit se tamponner, soit s'immobiliser brusquement dans une cohue indescriptible, ponctuée par une symphonie de klaxons et de jurons. Dans un état second, John ne s'était presque aperçu de rien. En tout cas il ne s'était pas arrêté. Il roulait, comme un fou, un illuminé.

Il savait qu'il y avait une station de métro près de chez Rachel, celle que justement elle empruntait tous les jours lorsqu'elle travaillait pour lui — la belle époque, l'époque la plus heureuse de sa vie. Alors il fonça du plus vite qu'il put, animé d'une énergie surhumaine. Arrivé à la bouche du métro, il se jetterait dans l'escalier long et abrupt qui menait dans les entrailles du métro.

Et dans sa chute, il se casserait le cou, c'était assuré, et c'en serait fini. Sa douleur prendrait fin. Son humiliation s'achèverait. Il écrirait le dernier chapitre de cet absurde roman qu'était sa vie. Il irait rejoindre son père aussi, et il s'excuserait. D'avoir tout gâché, de n'avoir rien compris. Il s'excuserait et il le serrerait enfin dans ses bras...

Il arriva en vue de la station de métro, et un sourire singulier illumina son visage. Le sourire du prisonnier qui envisage avec soulagement la mort, même horrible, parce qu'elle le libérera d'un état encore plus affreux. Car si la liberté ne vaut rien pour ceux qui en jouissent, rien ne vaut la liberté pour celui qui en est privé.

Pourtant, arrivé en vue de la bouche de métro, John ralentit, s'immobilisant presque comme s'il voulait une dernière fois jauger son geste, ou prendre son élan. Mais sa détermination n'avait pas fléchi. Il voulait en finir une fois pour toutes. Alors sa mâchoire se durcit, et il imprima des mouvements puissants et rapides aux roues de son fauteuil. Deux cents mètres, cent cinquante mètres, la voie était toujours libre, ce serait facile... Pas de passagers qui risquaient de limiter sa chute et même — oh, horreur! — de se mêler de ce qui ne les regardait pas et d'essayer de lui sauver la vie...

Plus que cinquante mètres. Il touchait au but. Il éclata d'un rire dément, tant son exaltation était grande. En même temps, les larmes lui montaient aux yeux, parce que ce n'était pas ainsi qu'il avait voulu que tout se termine, parce que ce n'était pas ainsi qu'il avait rêvé sa vie... mais il était trop tard... Vingt mètres, dix mètres...

Il n'avait plus besoin de pousser sur ses roues maintenant... Il avait acquis une vitesse suffisante... Une vitesse d'ailleurs étonnante... Il n'avait plus qu'à déguster les derniers moments de sa vie sur Terre puis à se laisser aller... Quelques secondes maintenant... Et la voie qui était toujours libre, parfaitement libre...

Mais au dernier moment, comme si les forces lui manquaient, ou plutôt comme si une force singulière avait pris la relève de sa volonté de mort, une vision s'imposa à lui, celle du rosier malade dans le jardin du millionnaire et une voix s'éleva en lui, faible, une voix qui ressemblait à celle du vieil excentrique et qui disait tout simplement: «Je ne suis revenu que pour ce rosier...»

Et alors sa résolution faiblit, se transforma. Il ne pourrait pas faire cela au millionnaire. Car ce rosier malade, ce rosier presque mort, c'était lui.

Alors il voulut vivre, parce que quelqu'un l'avait touché au-delà de tous les mots, au-delà de toutes choses... Et que malgré tout, il croyait en cet homme, malgré ses bizarreries, malgré le côté inexplicable de ses enseignements...

Mais en était-il encore temps? N'était-il pas trop tard? Il n'était plus qu'à quelques mètres de la bouche béante. Il appuya de toutes ses forces ses mains sur les roues, se râpa, se blessa presque mais parvint à s'immobiliser à quelques centimètres à peine de l'entrée.

Son cœur battait à tout rompre. Il venait d'échapper à une mort quasi certaine. En tout cas, si le fauteuil avait roulé dans les escaliers, il se serait sûrement infligé de sévères blessures, dont il ne se serait probablement jamais relevé.

Il s'apaisa petit à petit, heureux d'être encore en vie, soulagé de n'avoir pas commis cette erreur. Il entendit une voix criarde et arrogante derrière lui.

— Hé! le mec, qu'est-ce qu'on fait? On monte ou on descend?

Il se tourna. Un frisson le parcourut. Il venait de reconnaître le skinhead qu'il avait rattrapé quelques mois plus tôt, dans une rue avoisinante, alors qu'il volait une passante. Le skinhead, qui flânait dans le quartier avec ses comparses au son de la musique de Led Zeppelin — le plus petit de ses compagnons transportait une énorme radio portative qu'il avait volée à une bande rivale, des Jamaïcains —, le reconnut tout de suite. Il possédait de toute évidence une excellente mémoire des visages et en plus il n'oubliait jamais un affront. Un sourire sadique éclaira son visage, découvrant les quelques vilaines dents qui lui restaient.

— Regardez qui est ici. Notre ami le moron... dit-il en se tournant vers ses acolytes.

— Laissez-moi passer, dit John d'un ton ferme, déterminé à ne pas se laisser intimider.

Il fit pivoter son fauteuil et voulut avancer. Mais le skinhead lui barra le chemin, plantant sa chaussure *Doc Martin* sous une des roues.

— On n'est pas pressés, dit-il. On a tout notre temps...

Il souriait, contemplant John, se demandant ce qu'il ferait avec lui pour se venger de l'affront qu'il lui avait fait subir.

— Mais je vois que notre ami a eu un petit accident... Et même qu'il est devenu infirme... C'est dommage... Mais il ne faudrait pas laisser les choses à moitié finies... Nous, on va aider le bon Dieu à terminer son travail... Hein, les gars?

Ses petits copains se mirent à siffler et à glousser. L'un d'eux fit tourner sa chaîne, l'autre découvrit le *jacknife* qu'il portait à sa ceinture et augmenta le son de son immense radio portative... C'était un classique de *Led Zeppelin* qui jouait: *Whole lotta love...* Oui, ce serait une belle fête. Le patron leur avait souvent reparlé de ce minable qui avait osé l'insulter et l'avait empêché de détrousser la vieille folle... De quoi se mêlait-il ?

— Je vous ai dit de me foutre la paix!

Pour toute réponse, le chef des skinheads le gifla brutalement, puis examina sa main, comme s'il craignait de s'être blessé.

— *Big mistake*, dit-il en parodiant Arnold Schwarzenneger.

Il se frictionna encore la main, avec affectation, puis fit pivoter le fauteuil roulant de John, prit les poignées et fonça vers la bouche de métro, s'engageant dans les escaliers avec un éclat de rire maniaque.

John comprit que le skinhead ne s'arrêterait devant rien, que c'était un véritable fou, et il se cramponna de son mieux à sa chaise, qui risquait à tout moment de verser. A la vitesse où le jeune fou le poussait, il se casserait sûrement le cou. Comme une bande de requins excités par l'odeur du sang, les autres criaient, se demandant ce que leur chef avait en tête, sûrement un joyeux carnage. La bande joyeuse arriva au premier pallier où ils croisèrent deux usagers du métro.

— Au secours! cria John. Ce sont des fous. Ils veulent me tuer.

Les deux passagers s'arrêtèrent, interloqués, mais un skinhead fit tourner sa chaîne de manière menaçante dans leur direction et ils décampèrent sans demander leur reste. Le chef administra une puissante taloche à l'arrière de la tête de John et le prévint:

— On fait les têtes fortes? Tu ne voudrais pas mourir défiguré... Alors doux, doux...

Et il lui appliqua une autre tape retentissante, la tête de John partit vers l'avant, comme s'il avait été décapité. Puis le jeune voyou le poussa dans la dernière section de l'escalier, qui conduisait aux guichets. Des guichets qu'ils franchirent sans que le préposé, absorbé dans une discussion avec une vieille dame sourde qui s'obstinait sur le prix du passage, ne remarquât quoi que ce soit. La troupe arriva sur la rampe du métro.

— Qu'est-ce que vous allez faire? dit John. Vous n'avez pas le droit! Vous êtes complètement fous.

Il savait très bien ce qu'ils voulaient faire. Lorsque le métro arriverait, ils le pousseraient tout simplement sous ses roues. Alors curieusement son désir de mort, qu'il avait modifié à la dernière minute, se réaliserait. Cela eût été convenable quelques minutes plus tôt. Mais maintenant, il ne voulait plus mourir.

De l'espoir avait rejailli en lui. Il voulait revoir au moins une fois le millionnaire instantané. Il voulait qu'il lui explique. Pourquoi la vie était absurde, et comment il se faisait que l'espoir luisait encore dans son cœur, comme un brin de paille dans une étable, comme une étoile pâlissante perdue au fond d'un ciel noir d'encre...

Il comprenait maintenant à quel point chaque pensée est un messager qui cherche les circonstances qui lui permettront d'accomplir sa mission... Sa pensée suicidaire avait trouvé un écho inattendu et rapide chez ces skinheads.

Que faire, maintenant? Il n'y avait que quelques passagers qui attendaient distraitement le prochain train, à une centaine de mètres... Crier après eux, appeler au secours? Il se verrait infliger une autre gifle, ou peut-être un skinhead utiliserait-il sa chaîne contre lui, et lui arracherait-il la tête, l'assommant...

Et alors, inconscient, il ne pourrait plus rien tenter... Il ne serait même pas lucide pendant les derniers moments de sa vie... De sa vie dont, comme un noyé, il voyait d'ailleurs défiler à toute vitesse des épisodes, des scènes...

Mais une sorte de résignation lui venait, de paix, de calme étonnant. Il ne criait plus, il se taisait. Attendait-il la mort avec sérénité? Se pliait-il à son étrange destin? Quel étrange destin en effet que celui qui condamne un jeune homme à mourir aux mains de fous, sous les roues du métro! Il faut dire qu'en cette ville aux mille contrastes, où les rêves, les splendeurs et les horreurs se côtoyaient quotidiennement, rien n'était plus banal qu'un tel crime.

Dans le *New York Post* du lendemain, on verrait sa photo, en première ou en dixième page, avec un gros titre ou un entrefilet. Dernier vestige de la gloire qu'il avait tant espérée. Ou peut-être ne verrait-on même pas sa photo, et ne serait-il fait nulle mention de sa mort, qu'on prendrait d'ailleurs pour un suicide. Parce qu'il y aurait eu ce jour-là parmi les centaines de crimes quotidiens, des événements plus dignes de mention, plus horribles, plus sensationnels.

Il avait hurlé du plus fort qu'il pouvait, mais ses cris étaient restés sans effet. Personne ne l'entendait. Un passager au loin se tourna en sa direction, mais ne le vit pas, ou ne voulut pas le voir et crut qu'il ne s'agissait que d'une bande de punks qui s'amusaient.

D'ailleurs celui qui portait une radio haussa encore le volume pour étouffer les éventuels cris de John. «*Deep down inside*...» criait le chanteur de *Led Zeppelin* de sa voix troublante et désespérée...

John aperçut alors les phares du train loin au fond du tunnel. Il ne lui restait plus que quelques secondes à vivre. Le chef abandonna alors les poignées du fauteuil et donna ordre à un de ses sous-fifres de prendre les commandes. Non pas qu'il ne voulût pas se salir les mains et avoir un crime de plus sur la conscience — il en avait déjà des dizaines à son compte — mais il tenait à contempler le visage de John lorsqu'il verrait la mort approcher. Sourire aux lèvres, il se planta devant lui et le regarda:

— Comment se sent-on quand on va mourir, pauvre con? Est-ce que tu crois encore en Dieu? Est-ce que tu crois que c'est Hitler ou Dieu qui avait raison? Allez, réponds, pauvre minable! Demande-lui de venir t'aider ton pauvre Dieu s'il est si fort...

Sans le savoir il venait de donner une idée à John. Qui n'avait plus beaucoup de temps. Mais il se mit à répéter intérieurement la formule «*Apaise-toi et sache, je suis Dieu*», à toute vitesse, le regard fixé intensément sur le chef de bande, qui riait. Au bout d'une dizaine de fois, un phénomène étrange se produisit.

John fut saisi d'une vision. Il se revit dans la roseraie devant le millionnaire qui le regardait avec une grande douceur. Ses yeux lumineux, ses yeux émouvants, profonds, qui ressemblaient à des pans d'un ciel immense, emplirent toute son âme. On aurait dit que le temps s'arrêtait, que toutes ses craintes se dissipaient et que les skinheads devant lui n'étaient plus que des marionnettes grimaçantes.

Il ne pensait même plus au train qui arrivait et sous les roues duquel le voyou allait le pousser dans quelques secondes.

Puis il regarda le chef des skinheads droit dans les yeux, rempli d'un calme nouveau. Mystérieusement, ce dernier se troubla, son expression se décomposa. Il se dégonflait. Il éprouvait soudain une peur étrange, qu'il n'avait jamais éprouvée. Et à mesure que des frissons montaient le long du corps de John — comme s'il était habité d'une puissance infiniment plus grande que lui, et qu'il n'avait tout au plus qu'entrevue dans ses moments de grande exaltation — le leader, pourtant si arrogant et si sûr de lui, perdit pied.

— Viens, ordonna-t-il à celui de ses compagnons qui s'apprêtait à pousser John sous le train. On s'en va.

— Mais non, pas tout de suite, dit l'autre qui ne comprenait pas. Le train arrive, on va se venger.

Impatient, le chef s'approcha de son acolyte et lui administra un coup de poing sur le dessus de la tête. L'autre comprit qu'il valait mieux ne pas insister, lâcha enfin les poignées de la chaise roulante et laissa John en paix.

Le leader regarda une dernière fois John dans les yeux, avant de s'éloigner avec ses compagnons comme pour comprendre ce qui venait de se passer, quelle force mystérieuse l'avait poussé à renoncer. Ainsi donc les forces du Mal en lesquelles il croyait, le Diable qu'il vénérait et dont Hitler était un des plus illustres, des plus divinement cruels représentants terrestres, ces forces n'étaient pas toutes puissantes? Ou avait-il vu, à travers les yeux de John, le regard bienveillant du vieil homme?

John ne le sut jamais. Il sut seulement qu'il était en vie. Et qu'il était passé à deux doigts de se retrouver sous les roues du train qui venait de s'immobiliser devant lui.

CHAPITRE 23

Où le jeune homme réalise la valeur de la persévérance

De retour chez lui, le soir, John serra tristement la bague de fiançailles dans le tiroir où il avait rangé tous les souvenirs de Rachel puis il s'assit devant la rose et se mit à répéter les formules secrètes que lui avait confiées le vieux jardinier. Il repensa à leur conversation sur la plage et en conclut qu'une des raisons de son échec à écrire un bon scénario — condition essentielle pour pouvoir le vendre —, était qu'il ne s'était pas fixé un objectif financier précis.

Après une brève réflexion, il choisit le même montant que celui qu'il avait déterminé avec le millionnaire: 250 000 $ et l'inclut dans la formule, qu'il se mit à répéter *ad nauseam.*

Et le soir même, se concentrant devant la rose, il se répéta une centaine de fois, à haute voix, qu'il gagnerait 250 000 $ grâce à la vente de son scénario et ce avant que trois mois ne se furent écoulés. Il avait pris soin de déterminer une date précise, évitant de refaire l'erreur commise sur la plage avec son mentor.

S'il avait choisi trois mois au lieu de deux ou d'un seul, c'est que cette fois-ci il ne voulait pas rater son coup. Il s'endormit en voyant valser devant ses yeux ce montant pharamineux et en implorant son génie intérieur, qu'il avait surnommé Sam, de lui donner l'inspiration nécessaire pour écrire une troisième — et dernière — version de son scénario.

Le lendemain matin, il se réveilla particulièrement de bonne humeur, et surtout avec une idée, que lui avait peut-être insufflé Sam, son génie bienveillant: s'il voulait écrire un scénario à succès, il fallait qu'il commence par étudier les scénarios des films à succès déjà existants. C'était du reste un des principes que lui avait enseigné le vieil homme, qu'on pouvait apprendre le succès par imitation, pour ainsi dire, en s'imprégnant des méthodes et des principes de ceux qui avaient déjà connu le succès.

Il se rappela une des scènes dans la roseraie, quand le vieux jardinier lui avait expliqué que la plupart des millionnaires auraient pu deviner pourquoi la rose qu'il lui désignait avait atteint un développement supérieur à celui des autres fleurs, pourtant de la même variété.

Il fallait qu'il porte davantage attention aux détails, à des principes secrets qui assuraient le succès et que seulement quelques scénaristes et réalisateurs connaissaient.

Une idée subite enflamma son esprit, et il fit un petit clin d'oeil à celui qui à son avis venait de la lui inspirer, et qu'il avait pour ainsi dire imploré la veille: son bon génie, Sam.

Il se dit qu'il louerait et visionnerait les cent films qui au cours des vingt dernières années avaient connu le plus de succès en salle.

«Vaincre l'ennemi sans combat est le sommet de l'art guerrier», écrit Sun Tzu, cité dans le testament du millionnaire. John se rappela cette maxime, et se convainquit que son erreur avait justement été d'affronter l'ennemi sans être vraiment préparé, et que ce qu'il fallait au contraire, c'était le vaincre *avant* le combat, en comprenant les lois de la victoire. Il avait procédé en écervelé — sa marque de commerce commençait-il à penser —, il s'était lancé comme un cheval fou, au lieu de méditer son affaire.

A la première heure, il se rendit au club vidéo de son quartier, et confia son projet à Steve qui, en un de ces hasards qui n'en sont vraiment que pour ceux qui ne croient pas à la magie de leur génie intérieur, lui sortit tout de suite un vieux numéro de la revue de cinéma *Première*, qui dressait justement la liste des cent plus grands succès de box office des vingt dernières années. A croire que Sam, le génie invisible de John, était un abonné de cette revue ou en tout cas avait pris connaissance du numéro en question!

Alors, pendant les deux semaines qui suivirent, à raison de sept par jour, il visionna les cent films dont il avait trouvé la liste par «hasard», la seule exception étant le célèbre classique *Casablanca*, plus ancien que les autres films, sans doute mais incontournable, de l'avis de Steve, que du reste John partageait.

Steve reprenait chaque jour les sept bobines et lui en donnait sept nouvelles, étonné par sa détermination et sa volonté d'apprendre.

Vivant en véritable reclus du matin au soir, commandant de la pizza, du poulet ou des sandwichs qu'il expédiait en restant rivé à son écran télé, il n'écoutait pas les films de manière passive, mais crayon en main, il prenait des notes, analysait. Et surtout, il s'observait lui-même comme spectateur. Il devenait lui-même une sorte de laboratoire, dans lequel il était à la fois l'expérimentateur et le cobaye.

Lorsqu'il réagissait devant une scène, lorsqu'il riait, lorsqu'il était ému, il se demandait ce qui avait provoqué son rire, ses larmes. Et il pouvait réécouter une scène cinq fois, dix fois jusqu'à ce qu'il comprenne ce qui s'était passé en lui, quelle ficelle le cinéaste avait tirée pour réussir à le toucher, le dérider.

Plus il voyait de films plus, à son étonnement ravi, il voyait se dégager des principes, des constantes, des caractéristiques communes. Bien sûr, il comprenait qu'il ne suffit pas de suivre des règles, qu'il faut encore se montrer original, brillant, drôle, et par-dessus tout émouvant.

Mais de grandes lois lui apparaissaient pourtant, dont il n'avait même pas soupçonné l'existence avant d'entreprendre cette étude. Le millionnaire avait eu parfaitement raison: un esprit observateur — et animé par un objectif précis — pouvait voir des choses qu'un autre, distrait, non motivé, ne voyait pas, et c'est en général là que résidait la clé de son succès, peu importe le domaine qu'il avait embrassé.

Ces semaines d'étude et de réflexion s'accompagnaient d'ailleurs d'un phénomène particulier. Le chagrin que la séparation d'avec Rachel lui avait causé, au lieu de s'apaiser, de s'estomper, comme il arrive généralement, devenait plus vif, plus exacerbé. Il avait la certitude profonde maintenant que non seulement il avait fait une erreur, mais que surtout il ne pourrait jamais retrouver Rachel, et que donc d'une certaine manière sa vie sentimentale était gâchée à tout jamais.

Chaque jour qui passait, il s'ennuyait d'elle davantage, et il ne se passait pas une journée sans que la seule pensée d'elle, l'évocation d'un souvenir ne lui causât une crise de larmes. Il n'en guérissait pas et ce, même si le travail qu'il avait entrepris était hautement absorbant.

Un phénomène d'ailleurs curieux se produisait en lui. Lui d'habitude plutôt cérébral, avait développé du jour au lendemain une grande sensibilité, et alors que ses yeux étaient toujours demeurés secs au cinéma, maintenant, lorsqu'il voyait une scène triste, par exemple les retrouvailles émouvantes de Lisa et Rick dans *Casablanca*, les larmes inondaient ses yeux.

La mystérieuse alchimie de la douleur avait ouvert son cœur, élargissant considérablement la palette de sa sensibilité jusque-là plutôt étroite. On aurait dit que l'homme et la femme en lui s'étaient fusionnés, qu'il était devenu artiste.

Une fois l'étude des cent films complétée, il se mit à la rédaction de la troisième version de son scénario. Littéralement intoxiqué par la répétition constante de ses formules secrètes, il était exalté, et les visites quotidiennes du geai bleu qui venait à sa fenêtre chercher sa pitance ne faisaient que confirmer la certitude que le vent avait tourné.

De jour en jour, il sentait que sa concentration s'améliorait. Et la lourdeur de ses jambes paralysées donnait à son esprit des ailes qui, une fois déployées, l'entraînaient dans des sphères de l'imagination qui jusque-là lui avaient été interdites.

Il se rappela que le millionaire lui avait parlé une fois de l'importance de l'immobilité physique. Le grand malheur de l'homme d'affaires, avait-il dit en paraphrasant Pascal, était de ne pouvoir rester assis seul dans sa chambre. Il découvrait par la force des choses la profondeur de cette vérité et la puissance cachée au cœur de la tranquillité.

Parfois, il passait quinze ou vingt minutes dans un état de concentration si grand que lorsqu'il en revenait, brusquement, il était littéralement effrayé. Pendant quelques instants, complètement absorbé dans sa tâche, il avait oublié ce qu'il faisait, qui il était, même. Plus d'une fois, le geai lui avait fait une peur «bleue», c'est le cas de le dire, en entrant hardiment et de manière inattendue dans son bureau pour réclamer ses cacahuètes quotidiennes.

De plus en plus souvent des éclairs d'inspiration le visitaient. Sa mémoire s'exaltait, acquérait une précision quasi hallucinante. De grands pans de tout ce qui s'était passé dans les mois précédents, et même dans un passé beaucoup plus lointain, lui revenaient avec une lucidité surprenante.

C'était à la vérité des états extatiques, qui l'emplissaient d'une grande joie. Il avait l'impression, la certitude même, de découvrir une région de lui-même jusque-là inconnue, beaucoup plus lumineuse, vaste, moins étriquée que celle où il avait coutume de vivre et de penser.

D'ailleurs sa transformation n'était pas seulement intellectuelle ou morale. Son teint s'éclairait, ses yeux devenaient brillants, animés d'un éclat nouveau. C'est que toute l'énergie de son être, son énergie amoureuse, accidentellement préservée par sa séparation et sa fidélité absolue à Rachel — même s'il l'avait perdue —, son énergie physique que sa maladie l'empêchait de dépenser, toute son énergie se transmutait, se concentrait maintenant dans sa tête, soumise à la mystérieuse loi des vases communicants. Une porte se ferme, une autre s'ouvre.

Le soir, à la fin de sa longue journée de travail qui se prolongeait parfois pendant une quinzaine d'heures, il avait souvent des éclats de fou rire qui inquiétaient ses voisins. Parfois, il goûtait des sentiments d'une paix indicible, éprouvait un contentement qu'il n'avait jamais connu ni même soupçonné à tel point que plusieurs fois il en vint à penser qu'il pourrait mourir à l'instant, et qu'il ne le regretterait pas.

En deux mois et demi, il réécrivit complètement son scénario, puis, fébrile, presque aussi nerveux qu'un jeune marié, s'empressa de le soumettre de nouveau à Steve qui le rappela au beau milieu de la nuit pour lui annoncer qu'il était littéralement emballé et qu'il n'avait pu s'arracher à sa lecture.

— C'est le meilleur scénario que j'aie lu depuis un an. Et je connaissais déjà l'histoire, c'est pour te dire. Je suis sûr que tu vas le vendre et que tu vas faire fortune. Envoie-le tel quel aux agents ou aux studios.

Il suivit son conseil, fit une dizaine de photocopies de son scénario qu'il fit parvenir aux plus importants studios d'Hollywood. Un mois et demi plus tard, il recevait sa dernière lettre de refus. Il était atterré. Non seulement cet échec le surprenait-il — il était débordant de confiance au moment d'envoyer les scénarios — mais il avait fait ses comptes et ses réserves s'épuisaient dangereusement. Il ne pouvait plus tenir que quelques semaines, un mois tout au plus.

Il se révolta à nouveau contre le vieux millionnaire. Tous les beaux principes qu'il lui avait exposés ne tenaient pas debout. Il n'était qu'un charlatan qui l'avait leurré. Il n'y avait ni loi ni principe dans le monde. L'univers n'était qu'un chaos absurde et violent. Et lui, naïf, avait cru le contraire.

Cette nuit-là, John fit un rêve étonnant. Il se retrouva assis dans son fauteuil roulant au sommet d'une falaise, au pied du majestueux Grand Canyon. Un orage grondait et des vents d'une violence extrême faisaient rouler dans le ciel de gros nuages noirs. John s'efforçait de faire demi-tour pour se hâter de rentrer chez lui, mais il était incapable de faire bouger son fauteuil d'un centimètre. Il s'irritait cependant que la pluie chaude détrempait son visage et ses vêtements.

En regardant derrière son fauteuil pour vérifier si une

ornière ou une pierre ne gênait pas le mouvement de ses roues, il aperçut dans le ciel une surprenante éclaircie, en fait un pan de ciel bleu qui, outre qu'il avait la curieuse caractéristique d'être parfaitement circulaire, était mobile. En fait, cette «médaille d'azur», à travers laquelle perçait une colonne de lumière qui éclairait le sol, s'avançait rapidement en sa direction.

Bientôt, John se rendit compte que la colonne lumineuse éclairait le vieux millionnaire qui venait vers lui en fauteuil roulant, mystérieusement protégé de l'orage pourtant violent qui sévissait. Le millionnaire fut bientôt à ses côtés, souriant, parfaitement sec.

— Comment vas-tu? demanda-t-il.

— Mal, dit John.

— Je crois que tu as besoin d'un petit shampoing.

Et il tira d'une des poches du grand manteau noir qu'il portait — comme sur Times Square — une bouteille de verre contenant un liquide doré extrêmement brillant, beaucoup plus qu'un shampoing ordinaire. A la vérité, il étincelait, comme s'il était composé de milliers de minuscules étoiles. Le vieil homme déboucha la bouteille et en versa tout le contenu sur les cheveux de John qu'il se mit à masser vigoureusement, faisant une mousse très abondante.

John se sentit aussitôt pénétré d'une mystérieuse énergie qui entrait par le sommet de sa tête et descendait dans tout son corps, répandant en lui une félicité, un calme et une joie qu'il n'avait jamais connus. Un agréable engourdissement le gagna progressivement, et il se sentait si bien qu'il aurait voulu rester dans cet état toute sa vie.

— C'est lorsqu'on croit que tout est fini que tout commence vraiment, dit le millionnaire en continuant de masser son cuir chevelu avec une grande énergie. Lorsqu'on renonce à son petit moi, lorsqu'on se rend compte que tous les moyens qu'il a mis à notre disposition pour être heureux sont inutiles et vains, on s'ouvre enfin à son Soi supérieur. Et la grâce céleste peut enfin nous toucher. Tu me dois dix-sept dollars pour le shampoing.

— Dix-sept dollars?

— Je plaisantais, dit le millionnaire qui avait cessé de masser la tête de John. Ce shampoing tu te le donnais toi-même. Mais dis-moi, comment se fait-il que tu n'aies pas encore vendu ton scénario?

— Je ne sais pas.

— Est-ce que tu crois *vraiment* que tu peux le vendre?

— Oui.

— En es-tu sûr?

— Oui.

— Si tu as vraiment la foi, tu peux tout faire.

— J'ai vraiment la foi.

— Alors prouve-le moi. Si tu as vraiment la foi, tu peux tout, et tu peux te jeter dans ce précipice sans aucune crainte.

— C'est... Vous ne trouvez pas que vous exagérez un peu? Je...

— As-tu la foi, oui ou non?

— Oui.

— Alors prouve-le.

Après une hésitation, et malgré la folie de cette entreprise, John sentit qu'il ne pouvait plus reculer et fonça dans la direction du Grand Canyon, se répétant intérieurement de toutes ses forces qu'il pouvait voler avec son fauteuil roulant comme avec un avion.

A son étonnement ravi, il put effectivement voler. Le fauteuil roulant, une fois dans le vide, ne tomba pas, mais flotta, comme s'il était plus léger que l'air. Emerveillé, enivré par cette expérience incroyable de pouvoir ainsi voler par ses propres moyens, comme un oiseau, John regarda sous lui le Grand Canyon. L'orage avait cessé et un magnifique arc-en-ciel traversait le ciel.

Mais alors, un doute s'empara de lui, sa foi lui fit défaut. Ce qui lui arrivait n'était pas possible. Nul homme ne pouvait ainsi voler sans support mécanique.

Sa trajectoire se modifia brusquement, et comme un avion privé de moteur, et même amputé de ses ailes, il se mit à tomber vers le fond de la vallée, poussant des cris désespérés à la perspective de la mort certaine qui l'attendait. Mais il comprit heureusement à temps ce qui venait de se passer. Il avait perdu la foi, et du même coup, sa miraculeuse puissance. Il se mit tout de suite à se répéter:

— Je peux voler, je peux voler.

Et comme par enchantement, sa trajectoire initiale se rétablit et il se remit à voler. Il éclata de rire, extatique. Une seconde plus tard, le millionnaire, comme un avion ami, volait à ses côtés dans son fauteuil roulant.

— Tu vois, ce n'est pas si difficile. Il suffit d'y croire vraiment. Viens, faisons un peu de vitesse maintenant.

Et le fauteuil du vieux accéléra. John se concentra et parvint à le rejoindre.

— N'oublie pas, tu peux faire tout ce que tu crois vraiment pouvoir faire.

— Je n'oublierai pas.

— Je dois te quitter maintenant, je dois m'occuper de mes affaires.

Et il accéléra à nouveau. John tenta de le rejoindre mais n'y arriva pas et le vit bientôt disparaître. Mais il entendit bientôt sa voix qui emplissait le ciel, comme amplifiée par un microphone extrêmement puissant. Il répétait ce qu'il lui avait dit au moment où il s'était séparé de lui, dans son domaine de Long Island: «Tu réussiras. N'abandonne jamais. Jamais. Jamais.» Et un courant électrique entra en lui, le galvanisa.

Puis en une curieuse hallucination, il se retrouva, debout, minuscule, devant un livre immense, à la vérité deux fois plus grand que lui, un livre très ancien, à la belle tranche dorée et dont le texte était manuscrit comme ceux des premiers livres patiemment recopiés par les moines copistes du Moyen Age. Il lut le texte:

«Chaque jour est le premier jour du reste de ta vie.» Donc, développe en toi la capacité d'oublier les échecs du passé. Ou pour mieux dire, oublies-en la déception, le chagrin, mais retiens-en la leçon. Dis-toi qu'un échec que tu as subi est un échec de moins que tu auras à subir à partir du moment où tu en as retenu la leçon.

Paradoxalement, chaque échec te rapproche ainsi de ton but. Ton échec devient une force. Il devient simplement un autre visage de ton succès futur. Il en est le prix. Donc cultive en toi la capacité d'oublier la frustration du passé. Fais table rase. Ta vie recommence chaque jour. Ta détermination s'accroît chaque jour, et tu t'approches de succès plus grands encore que tu n'aurais pu le croire possible. Simplement, persévère.

La persévérance vient à bout de tout. Elle est le génie véritable. Elle est la preuve ultime de l'amour véritable que tu portes à ce que tu fais. Si tu aimes vraiment ce que tu fais, si tu brûles pour ton métier du feu de la passion, alors chaque expérience qui s'y rattache est enrichissante, rien n'est un échec.

Tout est apprentissage. Cela n'est un échec qu'aux yeux des hommes ordinaires. Il n'y a pas de honte à se tromper, à tomber. Même Jésus, sur le chemin de la Croix, est tombé trois fois. Mais chaque fois, soulevé par la force irréductible de ton idéal, relève-toi, même si autour de toi tu entends les rires et les moqueries des morts, tes amis parfois, tes parents même et ceux qui se disent tes partenaires...

Avec chaque échec que tu rencontres, ton caractère se raffermit, ton âme se trempe. Et tu deviens de plus en plus maître de ta destinée car comme l'a affirmé le grand et profond Héraclite: «Caractère égale destinée».

A chaque échec, les imperfections de ton être s'éliminent. Et plus tu supportes avec patience ces échecs, plus tu t'élèves, car la patience, l'humilité sont les vertus des grands. Toi, tu sais que cet échec n'est qu'un échelon, et que lorsque tous les échelons seront franchis, tu entreras dans la vaste prairie du succès où la récolte sera abondante, cent fois plus abondante que tu ne l'avais prévu, car tu as donné sans compter, et celui qui donne sans compter ne peut davantage compter ce qu'il récolte tant la moisson est riche...

Toujours sache garder la vision sublime de ton objectif, la vision de cette vaste prairie où pousse en abondance le blé de la sagesse et de la richesse, et où ton âme bientôt goûtera un repos sublime car elle en aura fait sa demeure pour toujours... Prouve la noblesse de ton amour, prouve la sincérité de ton désir, la grandeur de la foi en ta mission. Sache que tu es éternel. Sache que tu es plus grand que l'échec, que le succès même. N'abandonne jamais. Jamais. Jamais.

CHAPITRE 24

Où le jeune homme joue le tout pour le tout

Le matin, John se réveilla rempli d'un courage nouveau. Les paroles enflammées du millionnaire résonnaient dans son esprit: «Tu réussiras. Tu réussiras.» Et il se rappelait son rêve étrange dans lequel sa foi lui avait permis de voler en fauteuil roulant dans le ciel. La foi, il fallait qu'il ait la foi, qu'il croit plus dur que fer qu'il pouvait vendre son scénario.

Il fallait qu'il persévère. Qu'étaient quelques mois, quelques semaines dans la vie d'un homme? Lorsqu'il aurait réussi, il oublierait rapidement ces moments d'épreuve. Mais quand il eut refait rapidement ses comptes, il s'aperçut qu'il ne pouvait plus tenir qu'une semaine ou deux.

Il avait d'abord cru qu'il pouvait compter sur deux mille dollars mais un certain nombre de chèques étaient passés, qu'il n'avait pas comptabilisés et il ne lui restait plus que sept cents dollars dans son compte. Quoi de plus banal: il en reste toujours moins qu'on pense! Et dire qu'un an plus tôt, il avait plus de vingt-cinq mille dollars, vingt-cinq mille dollars qui s'étaient envolés comme en fumée, sans qu'il puisse vraiment dire comment!

L'angoisse aiguilla son esprit. Avait-il vraiment tout tenté pour vendre son scénario? Il fouilla dans la pile de lettres de refus qu'il avait reçues et les analysa. Il se rendit alors compte que plusieurs n'étaient pas vraiment des refus. Plusieurs studios le remerciaient simplement d'avoir soumis son scénario et expliquaient qu'ils ne considéraient pas du «matériel non sollicité».

C'est donc que ces studios n'avaient même pas pris connaissance de son scénario. Et donc, ils ne refusaient pas son scénario en tant que tel puisqu'ils avaient refusé d'en prendre connaissance!

Il y avait une différence et donc un espoir. En tout cas c'est ainsi qu'il le vit. Mais comment faire pour percer ce mur d'indifférence? Quelle astuce utiliser?

Il n'avait aucun contact dans le milieu. Certes, il pourrait aller frapper à certaines portes, mais en fauteuil roulant, il ne ferait sûrement pas très bonne impression. Il se mit à tourner en rond dans son appartement. Avec son fauteuil, ses mouvements étaient limités mais il avait l'impression que cela allait lui donner plus rapidement des idées. Mais rien ne lui venait.

Passant devant sa penderie, dont la porte était restée ouverte, il vit les ridicules souliers à talons grandissants que la compagnie Souliers Cooper lui avait laissés en échantillon pour l'aider à concevoir le concept publicitaire de leur campagne.

Sans trop savoir pourquoi, comme poussé par une inspiration qu'il ne comprenait pas encore, il se pencha, ramassa un des souliers et en admira quelques instants le cuir qui était de fort bonne qualité. En se répétant mécaniquement qu'il lui fallait arriver à mettre le pied dans la porte d'un des studios d'Hollywood, il éprouva un frisson. Il venait d'avoir une idée: mettre le pied dans la porte. Cette expression, pourquoi ne la prenait-il pas justement au pied de la lettre?

Et une demi-heure plus tard, il envoya par *Federal Express* au studio qui l'intéressait le plus son scénario dans une grande boîte cadeau, bien emballée de ruban et de papier rouge vif, avec le soulier *Cooper* et une note: «*How to get your foot in the door!*». Comment mettre votre pied dans la porte!

Et il croisa les doigts. Et il espéra. Il pria. A la fois anxieux et exalté. Il ne bougea pas de son appartement, pendant deux jours, attendant un coup de téléphone ou une lettre. Au bout de deux semaines, alors qu'il était sur le point de désespérer, le téléphone sonna enfin. Il se précipita. C'était une voix de femme, qui lui demanda s'il était John Blake.

— Oui.

— Monsieur Ivanovitch va vous parler.

Il attendit un instant. Qui était cet Ivanovitch? Il n'en avait aucune idée. Mais sûrement une personne importante puisqu'il avait une secrétaire qui composait pour lui.

— Monsieur Blake? dit une voix très énergique.

— Oui, c'est moi.

— J'ai reçu votre cadeau il y a deux jours. *Clever. Very clever.* Et j'ai lu votre scénario. J'aimerais vous faire une proposition. Pouvez-vous passer à mon bureau demain?

— Oui, oui.

— Bon, ma secrétaire arrange avec vous les détails.

John parla à nouveau avec la secrétaire qui, ayant consulté l'agenda assez chargé de son patron, lui dit qu'il pourrait le recevoir le lendemain vers trois heures.

— Demain, c'est un peu serré, j'habite New York, comme vous savez sans doute et... mon agenda est plutôt chargé ces temps-ci.

— Je vous conseille de prendre le rendez-vous de trois heures, demain, lui suggéra la secrétaire. Mon patron est un homme très occupé et des centaines de gens rêveraient de pouvoir le rencontrer à son bureau. En plus, il quitte Los Angeles après-demain pour deux semaines, et d'ici là, il aura peut-être vingt nouveaux *deals* qui l'intéresseront et qui lui feront oublier le vôtre.

— Je vois, vous êtes très aimable de me dire cela madame...

— Ford. Vous n'êtes pas très familier avec Hollywood, à ce que je peux voir.

— Non, pas vraiment.

— Ecoutez, *welcome to the club.*

— Merci. Alors donc on se voit demain à trois heures, madame Ford.

— Oh, dernier conseil. Soyez à l'heure. Monsieur Ivanovitch a horreur d'attendre.

Il raccrocha. C'était comme un rêve. Il avait réussi. Il allait enfin vendre son scénario. Il était temps. Dans quelques jours, il aurait dû se chercher un emploi, et oublier son rêve. Il fallait qu'il pense vite maintenant. Pour être à trois heures le lendemain à Los Angeles, il était préférable de prendre un avion le jour même.

Il fit rapidement sa valise, très légère, se contentant d'emporter l'essentiel, revêtit ses plus beaux vêtements, ne manqua pas de mettre la vieille cravate de son père, persuadé qu'elle lui porterait chance et appela un taxi pour l'aéroport. Il se présenta au premier comptoir et demanda le premier vol pour Los Angeles.

— J'ai un avion qui part dans une demi-heure.

— Dans une demi-heure, c'est parfait. Je le prends.

— C'est mille huit cents dollars, plus taxe.

— Mille huit cents?

— Il me reste seulement des sièges première classe. Désolée.

— Sur le prochain vol?

— Le prochain vol est à cinq heures, mais malheureusement il est complet. Vous... Vous vous y prenez un peu à la dernière minute. Evidemment, si vous voulez attendre, il se peut que j'aie des annulations, mais pour le moment je n'ai rien...

— Et demain?

— Demain, j'ai un vol qui part à onze heures, mais qui est également complet. Par contre le week-end prochain, j'ai des ouvertures sur de nombreux vols.

— Je vois... je...

Une rapide et décevante tournée des comptoirs des autres compagnies aériennes — rien n'était disponible, sinon quelques sièges en première, d'ailleurs encore plus coûteux — l'obligea à revenir à la première compagnie. Il fallait absolument qu'il parte le jour même. Et après une ultime hésitation, il se représenta au comptoir et tendit sa carte Visa. Après tout, demain ou au plus tard dans quelques jours, il serait riche de plusieurs centaines de milliers de dollars. Alors il ne fallait pas qu'il pense petit ni qu'il lésine.

— Je vais prendre la place en première, dit John.

— D'accord, dit la préposée en prenant sa carte de crédit.

Elle calcula ce qu'il lui en coûterait avec les taxes, puis demanda une autorisation sur sa carte de crédit.

— Je suis désolée, expliqua-t-elle en lui remettant sa carte, la demande a été refusée. Avez-vous une autre carte?

Il n'était pas sans ignorer que ses cartes étaient «pleines» mais il tenta néanmoins sa chance avec sa Mastercard qui ne rencontra pas plus de succès que la précédente et que la préposée lui remit avec un air embarrassé.

— Y a-t-il un guichet automatique à l'aéroport? demanda John.

Elle lui indiqua où le trouver et le regarda s'éloigner non sans un certain scepticisme, doutant qu'il serait du vol New York - Los Angeles ce jour-là et persuadée qu'il n'avait pas les moyens de voler en première, un rêveur sans doute.

Stressé, John se précipita vers le guichet, espéra un miracle avant de l'interroger — quelque dépôt venu d'il ne savait où, une erreur bancaire qui l'eût favorisé en gonflant un solde qu'il connaissait trop bien pour l'avoir consulté la veille — mais dut bientôt se rendre à l'évidence: il ne lui restait que sept cents cinquante dollars et vingt-sept sous!

Que faire? Il pensa rapidement à un expédient, pas très honnête mais qu'il pourrait expliquer et réparer dès la vente de son scénario, une vente qui le mettrait à l'abri du besoin pendant des années et lui vaudrait un respect qu'il n'avait jamais inspiré. Il tira son carnet de chèque de sa poche et se fit un chèque de deux mille dollars qu'il déposa dans son compte même s'il ne disposait évidemment pas des fonds suffisants.

Puis il effectua un retrait de la somme équivalente et attendit, fébrile, que la transaction fut acceptée. Lorsqu'il entendit le son caractéristique qui indiquait que le guichet comptait les billets, il trépigna. — Il éprouvait d'ailleurs toujours une jouissance en attendant ce son car il lui arrivait souvent de voir ses demandes de retrait refusées, ce qui le mettait en rogne! — Il prit l'argent comme un voleur, ce qui d'ailleurs était un peu le cas car son chèque était sans provision, se pressa de retourner au guichet où il étonna la préposée en payant son billet comptant.

Vingt minutes plus tard, il était assis dans l'avion, soulagé, et heureux de son initiative audacieuse dont il se félicita encore davantage lorsqu'il découvrit qui était son voisin de vol.

Les passagers de première ne sont pas tous des gens importants, mais les passagers importants volent tous en première. Vu son infirmité, l'hôtesse avait assis John dans la première rangée juste à côté d'un très important agent d'Hollywood, dont le fils, paralysé depuis la naissance, voyageait avec lui.

Sexagénaire complètement chauve au regard extrêmement pénétrant et au magnétisme considérable, Greg Nicklaus faisait depuis vingt ans la pluie et le beau temps à Hollywood, et exerçait une influence immense auprès des grands studios car il comptait parmi ses clients les acteurs et les réalisateurs les plus célèbres de l'heure.

L'infirmité de John lui inspira une curiosité amicale, d'ailleurs augmentée par le fait qu'il feuilletait une copie de son scénario pour y ajouter quelques raffinements de dernière minute.

— Qu'est-ce qui vous est arrivé? demanda le producteur qui avait vu l'hôtesse aider John à descendre de son fauteuil roulant et qui ne se sentait nullement gêné de l'aborder avec une question aussi personnelle.

— Un truc à la colonne vertébrale. Je suis paralysé des jambes.

— Depuis votre naissance?

— Non, depuis quelques mois.

— Mon fils n'a jamais marché lui, dit-il en se tournant vers un charmant gamin roux d'une dizaine d'années — il était né d'un troisième mariage —, le nez plongé dans une bande dessinée.

— Ah, c'est dommage. Mais... il deviendra peut-être un grand génie.

— Vous croyez? demanda avec un scepticisme étonné l'agent. Vous êtes la première personne à me dire ça. C'est gentil. Je...

Et se livrant à ces confidences fréquentes sur les avions où l'on sait qu'on ne reverra probablement jamais son voisin de vol, Nicklaus ajouta:

— J'ai attendu l'âge de cinquante ans avant d'avoir un enfant et j'ai eu John.

— Il s'appelle John? Moi aussi...

— Ah! bon. Mais je suis impoli, j'oublie de me présenter, Greg Nicklaus.

— John Blake.

— Vous écrivez, John? dit-il en regardant son scénario que John avait refermé par politesse.

— Oui, je rencontre Monsieur Ivanovitch, qui est intéressé.

— Ivanovitch? Le producteur?

— Oui.

— Je le connais très bien. Je suis agent, ajouta Nicklaus après une hésitation car tout le monde le connaissait à Hollywood où il lui était rarement nécessaire de décliner son identité.

— Aimeriez-vous lire mon scénario?

— Personne ne lit à Hollywood, même pas les lecteurs attitrés, qui font tout lire par leur femme ou leur secrétaire. Quand un producteur vous dit qu'il a lu un scénario, c'est qu'il ment. Et s'il ne ment pas, il ne travaille pas à Hollywood. Résumez-moi plutôt votre histoire en vingt-cinq mots.

C'était la première fois qu'on lui faisait pareille requête et John bredouilla.

— Si vous n'êtes pas capable de me vendre votre histoire

en une minute, je ne serai pas plus capable que vous, parce que c'est tout le temps dont je dispose. On dit que l'attention d'une personne d'intelligence moyenne est de vingt minutes. A Hollywood, l'attention moyenne est d'une minute. Alors employez des mots qui ont entre trois et cinq lettres et des phrases de trois mots ou moins sinon vous aurez rapidement la réputation d'être un dangereux intellectuel.

— Je vois, dit John, mais il s'excusa alors pour aller à la toilette, escorté par deux hôtesses qui durent le soutenir, presque le porter.

Lorsqu'il en revint, après environ cinq minutes, et qu'il se fut rassis, l'agent ne manqua pas de l'étonner en lui disant:

— Vous avez un problème dans le deuxième acte, et votre personnage principal reste passif trop longtemps avant de prendre sa destinée en main, ce qui agace le public. Mais votre scénario est bon. J'ai pleuré, j'ai ri et je ne me suis jamais ennuyé. C'est le plus important.

Lecteur d'une rapidité phénoménale, l'agent, qui était un «*page reader*» — il n'avait besoin, pour lire une page de scénario, que du temps qu'il lui fallait pour la tourner — avait établi son jugement en quelques minutes.

— Vous... dit John estomaqué, vous avez lu tout mon scénario?

— Oui.

— Mais je croyais que personne ne lisait à Hollywood.

— Je ne fais confiance à personne. Il y a des choses qui ne se délèguent pas.

Pendant le reste du vol, l'agent, qui avait vraiment pris John en sympathie et lui trouvait du talent, lui raconta littéralement sa vie, puis juste avant de descendre, il lui tendit sa carte de visite et lui proposa:

— Demain soir, je dîne avec le scénariste William Goldman. Si vous voulez vous joindre à nous, j'en serais ravi. Nous serons à huit heures au *Polo Lounge*.

— Je... avec plaisir.

CHAPITRE 25

Où le jeune homme découvre la négociation

John descendit dans un hôtel bon marché, se disant que c'était probablement la dernière fois qu'il devait se montrer aussi parcimonieux dans le choix d'une chambre et passa une soirée dans un état d'exaltation peu commune qu'une tristesse vint cependant assombrir: il aurait tant aimé partager son succès avec Rachel!

Il passa une nuit agitée et, le lendemain, arriva vers deux heures trente au bureau du producteur Ivanovitch pour être certain qu'un imprévu ne le ferait pas arriver en retard.

Mademoiselle Ford, la secrétaire, une jeune femme très blonde à qui des lunettes noires donnaient un côté à la fois intellectuel et sexy, parut un peu surprise de voir qu'il était en fauteuil roulant et dit sans réfléchir:

— Si vous voulez bien vous asseoir... Enfin je veux dire, si vous voulez...

Prenant conscience qu'elle venait de commettre une gaffe, elle se tut, ne sachant plus quoi dire. Et elle ne sut plus quoi dire. John sourit. Il était habitué aux réactions que son état provoquait.

— Je vais annoncer à monsieur Ivanovitch que vous êtes arrivé.

Elle prit le téléphone, eut son patron en ligne, puis revint à John et lui expliqua qu'il lui fallait patienter. Puis elle prit un appel, et son téléphone ne dérougit pas pendant l'heure qui suivit. John l'écoutait, fasciné, parler à des gens célèbres, comédiens, réalisateurs.

Elle notait d'abord tous ses messages sur un petit calepin rose, puis les transcrivait sur son ordinateur qui était en réseau avec celui de son patron, ce qui lui permettait de continuellement mettre à jour son agenda électronique qu'il consultait à l'écran. Une fois les messages transcrits à l'ordinateur, elle arrachait les feuilles roses de son calepin, les froissait puis les jetait dans la grande corbeille près de son bureau.

Vers trois heures et demie, John, qui manifestait une certaine impatience et ne savait plus trop comment se donner une contenance, demanda gentiment à mademoiselle Ford si son patron l'avait oublié.

— Je lui parle tout de suite.

Puis après avoir communiqué avec lui:

— Il est au courant que vous êtes ici. Mais il est en *meeting* avec Henry Nichols.

— Henry Nichols... laissa tomber John, admiratif.

C'était un des acteurs les plus populaires de l'heure, une vraie star, et il était tout à fait normal qu'Ivanovitch ne cherchât pas à écourter sa rencontre avec lui sous le seul prétexte qu'il devait rencontrer un obscur scénariste du nom de John Blake.

Une demi-heure plus tard, le célèbre Henry Nichols sortit en coup de vent du bureau, visiblement furieux. Et John crut que son tour était enfin venu d'affronter le grand producteur.

La secrétaire appela son patron qui n'était pas prêt à recevoir John. Il était en conférence téléphonique avec ses avocats new-yorkais, à tenter de démêler un imbroglio juridique qui impliquait sa compagnie pour plusieurs millions de dollars.

— Il n'est pas encore prêt. Il est en ligne avec New York.

— Je vois.

— Est-ce que vous pouvez encore attendre?

— Oui.

— Ne le prenez pas personnellement. Mon patron est toujours très occupé, et il passe son temps à éteindre des feux. Prendriez-vous un café en attendant?

— Oui, avec plaisir.

Mais elle n'eut pas le temps de le lui servir, car son téléphone, qui décidément ne dérougissait pas, sonna à nouveau.

Elle devint tout de suite très excitée lorsqu'elle sut qui était en ligne. C'était Julia Johnson, la découverte de l'année, qui faisait les premières pages de tous les magazines et qui, à moins de vingt-cinq ans, commandait déjà des cachets de plus de cinq millions par film.

— Oh, mademoiselle Johnson, je... Oui, bien entendu. Vous ne pourrez pas être à votre rendez-vous de sept heures avec monsieur Ivanovitch? Vous voulez le reporter à huit heures? Non, pas de problème! De toute manière, il vous réservait sa soirée. Donc huit heures. Au même endroit? (...) Oui, d'accord, je note. Même endroit. Et soit dit en passant, j'ai adoré votre dernier film. A la fin, vous avez bien fait de refuser de rester sa maîtresse, même s'il vous offrait un condo et des cartes de crédit. Il ne vous aurait jamais demandée en mariage. (...) Oui, oui, je comprends, excusez-moi, je sais que vous êtes pressée. Alors je fais le message à mon patron sans faute.

En parlant, elle avait noté le message sur une feuille rose, qu'elle arracha et jeta après avoir entré le changement sur son ordinateur.

John dut attendre encore deux heures qui lui parurent interminables. Mais un peu passé six heures, l'aimable secrétaire lui annonça en raccrochant le téléphone:

— Monsieur Ivanovitch va vous recevoir.

— Ah, enfin, ne put s'empêcher de laisser échapper John.

La secrétaire lui ouvrit la porte, puis la referma derrière lui après l'avoir introduit dans un bureau moderne et luxueux, un tantinet prétentieux et pas du meilleur goût, c'est du moins l'impression qu'en eut John.

Mais son attention fut surtout retenue par l'apparence très particulière d'Ivanovitch, qui, de très petite taille — en fait il mesurait à peine cinq pieds deux pouces —, disparaissait presque complètement dans un fauteuil de cuir noir qu'un épais nuage de fumée enveloppait. Le producteur, dont la cravate était presque plus large que ses épaules, et dont les cheveux poivre et sel — il avait la cinquantaine — étaient coupés en brosse, tirait sur un énorme Havane qu'il tenait de sa main gauche alourdie par une Rolex et quelques bagues qui ne péchaient pas par discrétion même si elle devaient valoir une fortune: le bon goût ne vous frappe pas nécessairement en même temps que votre premier million.

Rarement John avait-il rencontré semblable individu. Il se dégageait de lui une impression d'énergie extraordinaire, qui avait cependant quelque chose de menaçant, comme s'il tirait son magnétisme exceptionnel de quelque pacte secret avec le diable.

Ses yeux très bleus, très froids et très perçants clouaient littéralement ses interlocuteurs sur place et John dut en subir l'effet dévastateur, d'ailleurs d'autant plus troublant qu'Ivanovitch ne le salua même pas, ne prononça pas un seul mot et se contenta de l'examiner, comme s'il était un objet de curiosité ou pour mieux dire un insecte, tout en tirant de profondes bouffées satisfaites de son Monte Carlo qu'il exhalait en volutes d'une rondeur parfaite en direction du visage embarrassé de son visiteur.

Malgré sa disgrâce physique, Ivanovitch était extrêmement coquet et son énorme pouvoir lui permettait de donner libre cours, avec d'innombrables starlettes, à la voracité de son appétit amoureux sur lequel sa femme, occupée à élever quatre enfants et à décorer leurs nombreuses résidences, fermait complaisamment les yeux.

Il rompit enfin le silence pour dire d'une voix nasillarde mais très énergique, et à demi-colérique:

— Qu'est-ce que vous essayez de prouver?

John fut pris au dépourvu par cette question. Le producteur

croyait-il qu'il jouait la comédie avec son fauteuil roulant, cherchait à l'apitoyer?

— Je ne comprends pas.

— Ecoutez, je vous donne rendez-vous ici à deux heures de l'après-midi, vous arrivez à trois heures. Pour qui vous prenez-vous? Pensez-vous que je n'ai que cela à faire, vous attendre?

— Votre secrétaire m'avait pourtant bien dit trois heures.

— Voulez-vous insinuer que ma secrétaire fait mal son travail? C'est ça?

— Non, pas du tout. Simplement, il y a eu malentendu.

Ivanovitch dont le complet Armani noir semblait deux fois trop grand pour lui car il était d'une minceur qui confinait à la maigreur même si son visage était assez plein et à peine ridé — résultat de la subtile intervention du meilleur chirurgien d'Hollywood — se leva alors si brusquement que John crut un instant qu'il allait lui sauter dessus et eut un mouvement de recul involontaire.

— De toute manière, dit-il en s'avançant de façon menaçante vers John, j'ai de très mauvaises nouvelles pour vous. J'ai fait lire votre scénario par mon meilleur conseiller, et c'est de la merde. Il va falloir payer toute une équipe de scénaristes pour le réécrire et ça va coûter une fortune.

Il prit alors une copie de contrat sur son bureau, et le jeta littéralement au visage de John en disant:

— Tout ce que je peux vous offrir, c'est vingt-cinq mille dollars. C'est à prendre ou à laisser. Vous signez ici, et je vous remets ce chèque de vingt-cinq mille tout de suite, et...

Il venait de tirer de la poche intérieure de sa veste un chèque libellé au nom de John Blake qu'il lui remit. A ce moment son visage s'éclaira d'un sourire soudain. John se tourna pour voir ce qui avait suscité ce changement d'attitude inattendu.

Une blonde sculpturale, plutôt vulgaire, perchée sur des talons aiguilles de trois pouces, et dont la poitrine plantureuse éclatait dans une robe à sequin au décolleté vertigineux, s'avançait vers les deux hommes, un sourire provocateur figé sur ses lèvres lourdement peintes de rouge.

— Vous passez avec Ingrid la soirée la plus extraordinaire de votre vie, avec limousine et champagne, toutes dépenses payées.

— Je... C'est un peu inattendu. Je... dit John qui regardait le chèque.

Le montant inscrit était bel et bien de vingt-cinq mille dollars, et le chèque était à son nom.

— Ne me dites pas que vous n'aimez pas les femmes? dit-il ne prenant par la taille Ingrid qui s'était approchée de lui.

— Non, c'est simplement que... Ce n'est pas assez. Il manque un zéro à votre chèque.

— Il manque un zéro à mon chèque! Vous avez le culot de me dire qu'il manque un zéro à mon chèque! Vous pensez que je vais payer deux cent cinquante mille pour le premier scénario d'un illustre inconnu qui en plus se balade en fauteuil roulant? Je vous dis merde, allez au diable, hurla-t-il en lui arrachant le chèque des mains.

Il donna une tape sur une fesse de la blonde platine:

— Tu ne seras pas obligée de te farcir le cul-de-jatte, Ingrid. Merci quand même d'être venue. On se voit à la petite fête samedi soir.

— D'accord, monsieur Ivanovitch.

— Et vous, l'insecte, dehors. J'espère ne plus jamais vous rencontrer sur mon chemin.

Et il retourna s'asseoir à son bureau, tirant furieusement sur son cigare. John comprit que l'entrevue était terminée et se dépêcha de sortir en profitant de la politesse de la starlette qui lui tint la porte ouverte. Il resta un instant à la sortie du bureau, immobile, atterré. Tout s'était passé si vite. Et de manière si inattendue.

Ne venait-il pas de commettre une gaffe monumentale? N'aurait-il pas dû accepter les vingt-cinq mille dollars? Après tout, ce n'était pas si mal pour un premier scénario. Mais une voix intérieure l'avait retenu au dernier moment.

Il voulait plus. Il s'était fixé un objectif de deux cent cinquante mille dollars. Mais n'était-ce pas une erreur? N'avait-il pas visé trop haut, et à cause de cela raté une chance qui ne se représenterait peut-être pas avant longtemps? N'avait-il pas perdu une occasion unique de mettre le pied à l'étrier? Ne s'était-il pas montré trop gourmand?

Il était extrêmement angoissé. Une réflexion on ne peut plus terre à terre lui effleura l'esprit. Que ferait-il, le lendemain, pour couvrir le chèque sans provision de deux mille dollars qu'il avait dû faire pour payer son billet d'avion? Que dirait-il à son gérant de banque? Qu'il comptait vendre son scénario deux cent cinquante mille dollars mais qu'à la fin, la transaction avait avorté, parce qu'il *avait eu la bêtise de refuser un chèque de vingt-cinq mille dollars*? Comme il avait été naïf une fois de plus, persuadé que la vente de son scénario n'était plus qu'une formalité! Il faut dire, à sa décharge, qu'Ivanovitch, qui s'était montré aussi enthousiaste que charmant au téléphone, avait changé d'attitude de manière tout à fait imprévisible.

S'il s'était mieux préparé à cette rencontre, John aurait appris que c'était monnaie courante à Hollywood de négocier en cherchant à déstabiliser si ce n'est à humilier complètement son interlocuteur. C'était d'ailleurs le passe-temps préféré d'Ivanovitch à qui cette technique d'intimidation avait valu de nombreuses aubaines auprès des débutants et même d'artistes chevronnés mais rendus vulnérables par des insuccès récents ou des difficultés financières passagères.

CHAPITRE 26

Où le jeune homme fait preuve de ruse

John prit de grandes respirations pour se calmer, et se dit que s'il avait suivi sa voix intérieure, s'il avait écouté Sam, son ange gardien, il devait y avoir une raison. Mais laquelle? Il fallait qu'il trouve vite, très vite. Le vieux jardinier ne lui avait-il pas dit que tout arrivait toujours pour le mieux, et que ce n'était que par cécité morale qu'on ne voyait pas l'avantage ou la raison mystérieuse et profonde de tout événement même celui en apparence le plus contrariant ou le plus malheureux? Il implora Sam de lui trouver une idée.

Et étrangement, peut-être parce qu'il était dans une situation vraiment désespérée, et que sa prière était d'une sincérité absolue — ou tout simplement parce que depuis toujours la nécessité est la mère de l'invention —, son ami Sam lui suggéra tout de suite un plan qui le séduisit.

Il s'avança jusqu'au bureau de la secrétaire, mademoiselle Ford, qui s'empressa de lui demander, avec une certaine surprise:

— Déjà terminé?

— Oui. Les choses ne se sont pas passées exactement comme je l'aurais voulu.

— Dommage.

— Mais je voulais vous demander un petit service. J'aimerais savoir à quel endroit monsieur Ivanovitch doit rencontrer Julia Johnson, ce soir.

— J'aimerais vous aider, mais c'est une information strictement confidentielle.

— Vous me rendriez un service immense.

— Je sais mais je ne peux vraiment pas.

— Il a rendez-vous dans un endroit public, de toute manière? Un endroit où n'importe qui pourrait aller, par hasard. Votre patron ne saura jamais qui m'a refilé l'information.

Elle eut une hésitation. Visiblement, elle trouvait John sympathique.

Elle n'eut pas le temps de lui répondre car elle dut prendre un appel. John en profita pour regarder dans la corbeille. Petit clin d'oeil de la chance, il aperçut le papier rose sur lequel la secrétaire avait noté le changement de rendez-vous avec la célèbre actrice. Mais malheureusement, il voyait seulement le nom JULIA JOHNSON, et non pas le lieu de rendez-vous. Il se pencha pour ramasser le papier, mais la secrétaire raccrocha et il dut se redresser rapidement.

— Alors, qu'est-ce que vous en dites?

— Je ne peux pas, dit-elle. Si mon patron venait à l'apprendre, je pourrais perdre mon emploi. Les règles de confidentialité sont très strictes, ici. Nous faisons affaire avec tant...

Le téléphone sonna à nouveau. John regarda en direction de la corbeille mais malheureusement, la secrétaire le regardait sans arrêt, en souriant. Mais à un moment, elle fit patienter son interlocuteur pour aller chercher un document dans la grande filière derrière son bureau. C'était sa chance maintenant.

John se pencha vers la corbeille mais juste au moment où il allait mettre la main sur le précieux papier, une main gantée le précéda et une voix rauque lui demanda:

— Vous cherchez quelque chose?

John se releva, le cœur battant, et aperçut le concierge de l'édifice qui faisait la tournée des bureaux et vidait toutes les corbeilles à papier. La secrétaire le vit en se retournant vers son bureau avec en main le document qu'elle cherchait et dit:

— Monsieur Green, vous êtes en avance ce soir...

— C'est vous qui êtes en retard, ma jolie. Il est déjà passé six heures.

Elle consulta sa montre, laissa échapper un juron et se pressa de terminer son appel. Pendant ce temps, le concierge vida la corbeille et son précieux contenu dans un grand sac de plastique vert, supporté par un chariot, et s'éloigna lentement, au grand désespoir de John. Il voulut prier une dernière fois la secrétaire de lui révéler le lieu de rendez-vous de son patron, mais dès qu'elle eut raccroché, elle prévint son patron qu'elle quittait, prit son sac et partit, pressée de se rendre à un rendez-vous pour lequel elle était déjà en retard, si bien qu'elle ne se soucia pas de laisser John seul.

D'abord découragé, John comprit qu'il avait encore une chance et, ne manquant pas d'audace, il suivit le concierge, qui vida quelques autres corbeilles. Puis quand son sac fut plein, il disparut derrière une porte dont il ressortit quelques secondes plus tard avec un sac vide.

Dès qu'il disparut en empruntant un autre corridor, John poussa de toutes ses forces sur les roues de son fauteuil et arriva devant la pièce que venait de quitter le concierge. Sur la porte était écrit: EMPLOYES SEULEMENT. Il regarda à gauche, puis à droite. Le corridor était désert, il tourna la poignée. La porte n'était pas fermée à clé. Il entra. Il mettrait enfin la main sur le fameux papier rose mais une surprise désagréable l'attendait.

Au lieu de trouver un seul sac de plastique, il en trouva une bonne dizaine! Il n'aurait jamais le temps de tout fouiller! Que faire? Raisonner. Vite et bien. Normalement, si le concierge avait le moindrement le sens pratique, il commencerait par mettre les premiers sacs au fond de la pièce, si bien que le dernier, celui qu'il venait tout juste de déposer, serait à l'extrémité de la rangée de sacs, tout à côté de John.

Il s'empressa d'ouvrir le sac, le fouilla rapidement, aperçut enfin un paquet de feuilles roses qui devaient de toute évidence provenir de la corbeille de la secrétaire du producteur. Son raisonnement avait été juste. Il mit la main sur le papier qu'il cherchait. Le nom de Julie Johnson apparaissait en toutes lettres, avec l'heure et surtout le lieu du rendez-vous: le *Polo Lounge!*

Décidément, les dieux étaient avec lui. Il devait justement se rendre au *Polo Lounge* le soir même à huit heures, pour y rencontrer le puissant agent dont il avait fait la connaissance sur l'avion. Cette coïncidence allait faciliter son plan.

Sans prendre la peine de refermer le sac, il ressortit, d'ailleurs juste à temps car le concierge revenait lentement en sa direction, mais marchait la tête penchée, les épaules courbées par quarante ans de métier, si bien qu'il ne vit pas John.

John quitta les bureaux du producteur, s'arrêta devant le premier téléphone public, tira de sa poche la carte de visite de l'agent, et composa son numéro de téléphone en répétant:

— Il faut qu'il soit là! Il faut qu'il soit là.

Par bonheur, ce *workaholic* était encore à son bureau, qu'il quittait d'ailleurs rarement avant sept heures trente, la plupart du temps pour des dîners d'affaires.

— Monsieur Nicklaus, John Blake à l'appareil. Nous devons nous voir ce soir au *Polo Lounge*.

— Un problème?

— Non. Seulement, je voudrais vous demander un petit service. Je viens de rencontrer le producteur, monsieur Ivanovitch, et je suis un peu déçu par sa proposition. Il m'offre seulement cent cinquante mille pour mon scénario, et je sais que je pourrais facilement avoir beaucoup plus. En fait je le sais de source sûre. Sa secrétaire m'a dit qu'il a déjà un acheteur intéressé, un grand studio dont elle n'a pas voulu me dire le nom.

— Et vous aimeriez que j'essaie de découvrir quel studio est intéressé?

— Non. C'est beaucoup plus facile. Je dois le revoir ce soir au *Polo Lounge* un peu avant de vous rencontrer et j'aimerais simplement que vous veniez me saluer. Lorsqu'il verra que je connais un agent aussi influent que vous, il va prendre peur et il va m'offrir ce que je veux.

L'agent éclata de rire.

— Ça me paraît judicieux. Comment donner de la valeur à votre bien en deux temps trois mouvements.

— Si on veut.

— Pas de problème. On se voit ce soir, et je passe à votre table pour le grand jeu.

John raccrocha, exalté. La première partie de son plan avait l'air de fonctionner. Pourvu que tout tournât rond jusqu'à la fin, et qu'il n'y eût pas d'imprévus.

A huit heures moins cinq, il faisait son entrée au *Polo Lounge*, une entrée remarquée car il n'était pas monnaie courante de voir un homme en fauteuil roulant dans ce lieu de rendez-vous par excellence des grosses légumes du cinéma hollywoodien.

— Vous avez une réservation? demanda le maître d'hôtel avec un certain scepticisme car John n'était pas pour lui un visage familier et il n'était certes pas vêtu aussi richement que la plupart des clients réguliers de l'établissement.

— Oui, je dois rencontrer monsieur Nicklaus. Greg Nicklaus.

Greg Nicklaus était un des clients les plus réguliers et les plus importants du *Polo*, et la direction lui réservait toujours les meilleures tables si bien que le visage du maître d'hôtel s'éclaira d'un large sourire: il avait failli commettre un impair.

— Si vous voulez bien me suivre, monsieur Nicklaus et son invité sont déjà arrivés.

John le suivit, et il aperçut l'agent et son invité au fond de la salle mais voyant aussi le producteur, Ivanovitch, il s'excusa auprès du maître d'hôtel. Il rejoindrait plus tard monsieur Nicklaus, mais avant bavarderait quelques minutes avec le producteur Ivanovitch.

— Sans problème, lui dit le maître d'hôtel qui le laissa aller vers la table du producteur qui prenait un apéro avec la célèbre Julia Johnson, qui faisait d'ailleurs tourner toutes les têtes.

En le voyant arriver, le producteur s'empourpra. Qu'est-ce que ce nabot faisait là? Pourquoi venait-il le relancer? Il allait le rabrouer, lorsque John avec une assurance dont il fut le premier à se surprendre, tendit la main à Julia Johnson et se présenta:

— Enchanté de vous rencontrer mademoiselle Johnson. Mon nom est John Blake. Mon agent, Greg Nicklaus, m'a dit que vous aviez beaucoup aimé mon scénario et que vous envisagiez de jouer le rôle féminin principal. Je puis vous dire que j'en suis flatté. Car je considère que vous êtes une de nos plus grandes artistes.

Julia Johnson lui tendit la main, et avec une galanterie un peu désuète, mais qui fit son effet, il lui fit le baisemain.

A Hollywood, personne ne lit, comme on l'a dit. Si bien que tous les «joueurs» sont obligés de mentir. Pour ne pas avouer qu'ils n'ont pas lu. Et ne pas laisser passer une affaire. Julia Johnson ne fit pas exception à la règle et alla même jusqu'à déclarer:

— Effectivement, j'ai *adoré* votre scénario.

Ivanovitch sentit qu'il avait fait une gaffe monumentale et qu'il était en train de laisser passer une affaire en or, car il suffisait que Julia Johnson signe pour un rôle pour que le financement se fît en deux temps trois mouvements. Ce que star veut, Dieu le veut. Pourquoi ce con de Blake ne lui avait-il pas parlé de l'intérêt de Julia Johnson? Ni du fait que son agent fût l'omnipuissant Greg Nicklaus? N'y avait-il pas anguille sous roche?

Mais ses soupçons naissants furent bientôt étouffés par l'arrivée inopinée du fameux agent qui, tenant promesse, venait saluer John. Mais la politesse, et aussi la hiérarchie de pouvoir fit qu'il commença par saluer Julia Johnson.

— Mademoiselle Johnson. Toujours aussi éblouissante. Il faudrait que nous mangions ensemble bientôt.

— Nous pourrions en profiter pour parler du scénario de John.

— Si John n'a pas d'objection, dit-il en plaisantant.

Toute cette familiarité déplut souverainement à Ivanovitch. Il se tramait vraiment quelque chose dans son dos, et c'était une des choses au monde dont il avait le plus horreur.

— Monsieur Ivanovitch va bien? demanda l'agent.

— Je ne me suis jamais senti mieux de toute ma vie, dit-il les dents serrées.

— Bon, écoutez, je vous laisse, conclut Greg Nicklaus.

Puis se tournant vers John:

— Ne tarde pas trop à venir nous rejoindre, John, mon invité n'est pas trop du genre à attendre.

— J'en ai pour quelques minutes seulement.

Pendant que Julia prenait un appel sur son téléphone cellulaire miniature, Ivanovitch regarda l'agent s'éloigner et lorsqu'il vit qui il allait retrouver, il pâlit de rage. Profitant de ce que l'actrice poursuivait une discussion animée, il prit John à part et lui dit:

— Ecoutez, cet après-midi, je ne connaissais pas tous les éléments et après que vous ayez quitté mon bureau j'ai fait lire votre scénario par un de mes meilleurs réalisateurs.

Et baissant la voix, il acheva:

— Je suis prêt à ajouter le zéro manquant et à vous offrir les deux cent cinquante mille que vous voulez. Mais je veux une réponse tout de suite.

— Ecoutez. Donnez-moi au moins vingt-quatre heures. Je dois rencontrer... vous savez qui, et je...

— Trois cent cinquante mille, surenchérit le producteur.

— Je vous parle demain sans faute, dit courageusement John.

Il salua l'actrice qui lui rendit distraitement son salut car elle était engagée dans une conversation passionnée avec son amant, qui une heure avant avait menacé de la quitter. Ivanovitch le regarda s'éloigner en serrant les poings et les dents. Il ferait tout pour conclure cette affaire.

John rejoignit l'agent et son invité qui l'attendaient tous deux avec impatience.

— Je suis enchanté de vous rencontrer monsieur Goldman, dit John en lui serrant la main. J'ai lu tous vos scénarios, je les adore.

— Ce n'est pas monsieur Goldman, corrigea l'agent. C'est monsieur Zeller, le producteur.

— Ah bon, dit John, rougissant d'autant plus de sa bourde qu'il était persuadé que la flatterie le servirait.

— Il y a eu un petit changement au programme. Lorsque vous m'avez appelé tout à l'heure dans mon bureau, j'étais avec Lazarus, je veux dire monsieur Zeller. Il s'intéresse généralement au même genre de projet qu'Ivanovitch, qui est d'ailleurs un de ses anciens employés qui... je peux le dire, ajouta-t-il en se tournant vers Zeller qui se contenta d'hocher la tête en signe d'approbation, s'est sauvé en volant plusieurs projets.

— D'ailleurs à ce sujet, je veux vous remercier pour le petit service que vous m'avez rendu. Ça a marché du tonnerre. Ivanovitch m'offre maintenant trois cent cinquante mille.

— Johnson est intéressée au rôle féminin principal, incidemment, laissa tomber l'agent.

Zeller, le producteur qui portait en permanence un grand chapeau panama et des complets très pâles d'inspiration méditerranéenne, plissa les lèvres en entendant prononcer le montant mentionné par John mais l'intérêt de la célèbre actrice alluma ses yeux d'un éclat particulier. Et il entra dans la conversation en disant:

— Ecoute, *kid*. Je n'ai pas envie d'entrer dans une guerre de prix avec un de mes ex-employés. Votre scénario m'intéresse. Je ne suis pas du genre à faire monter les enchères. Je suis prêt à vous offrir tout de suite un demi-million. Mais pas un sou de plus. Et je ne vous paierai même pas le lunch.

— Un demi-million?

John regarda l'agent qui se contenta d'hocher la tête pour lui signifier qu'il devait sauter sur cette proposition.

— Je... Je n'aime pas accepter une proposition sans réfléchir.

Le producteur sortit son carnet de chèque, une grosse plume Montblanc et demanda:

— Est-ce que je signe ce foutu chèque, oui ou non?

— Euh, oui, d'accord, si vous me prenez par les sentiments, oui.

Le producteur signa le chèque, mais avant de le lui remettre, il tira d'une enveloppe deux copies de contrat qu'il compléta en y ajoutant les montants de la transaction. Il les fit signer à John puis lui remit le chèque dont John, en un réflexe tout naturel — et aussi par curiosité parce qu'il n'avait jamais vu de sa vie un pareil chèque —, s'empressa tout de suite de vérifier le montant.

— Quatre cent mille? demanda-t-il surpris. Je croyais que vous aviez dit cinq cents.

— En signant ce contrat, expliqua Greg Nicklaus, tu acceptes que je deviennes ton agent, et je prends vingt pour cent de commission.

— Cent mille dollars? Pour une heure de travail? protesta John.

— Ne me déprime pas. Je gagnais beaucoup plus lorsque j'étais jeune. Je perds la main avec l'âge.

John ne sut pas trop s'il plaisantait ou s'il était sérieux mais n'insista pas trop. D'ailleurs, il devait bien accepter que l'agent lui rendît la monnaie de sa pièce. Car il était tombé au-delà de ses espérances dans le piège qu'il lui avait tendu en lui téléphonant pour lui demander le petit service que l'on sait.

Il avait bluffé en prétendant qu'Ivanovitch lui proposait cent cinquante mille dollars simplement dans le but de le pousser à intéresser un autre producteur ou même à lui proposer de devenir son agent. Mais le hasard avait fait les choses mieux que prévu, à moins que ce ne fût son bon génie Sam, pour lequel il eut une petite pensée en tournant les yeux vers le ciel et en lui disant mentalement merci.

Que Greg Nicklaus se fût enrichi par cette transaction, lui enlevait d'ailleurs un peu de la mauvaise conscience qu'il avait d'avoir employé des moyens plus ou moins douteux.

Mais n'était-ce pas lui qui lui avait appris qu'une des premières caractéristiques d'Hollywood était que personne ne lisait, et la deuxième que tout le monde mentait? Et ne dit-on pas qu'à Rome, il faut vivre comme les Romains?

CHAPITRE 27

Où le jeune homme découvre la raison de ses épreuves

De retour à New York, il s'empressa de passer à la banque pour couvrir le chèque sans provision qu'il avait déposé dans son compte. Il avait à peine franchi la porte de la banque que le gérant lui tombait dessus à bras raccourcis.

— Vous avez commis quelque chose de totalement illégal, monsieur Blake. Vos privilèges de carte de guichet vous sont retirés automatiquement. Et j'aimerais que vous me disiez ce que vous comptez faire pour combler le déficit de mille deux cent dollars de votre compte?

— Je comptais déposer ce chèque, dit John en lui tendant le chèque de quatre cent mille dollars.

Les yeux du gérant s'arrondirent lorsqu'il lut le montant du chèque et déchiffra le nom de son signataire, l'un des plus célèbres producteurs d'Hollywood. Il s'empressa de dire:

— Je m'excuse, il doit y avoir eu malentendu, si vous voulez bien passer à mon bureau, je voudrais vous expliquer les privilèges très intéressants que nous offrons aux *V.I.P.*

A la sortie de la banque, John s'empressa de rendre visite à son mentor qui avait joué un rôle déterminant dans son succès, même si les choses ne s'étaient pas passées comme il l'avait prévu.

En le voyant dans un fauteuil roulant, le valet, Henry, l'accueillit avec un sourire étonné:

— Que vous est-il arrivé?

— Un truc à la colonne vertébrale. Mon médecin lui-même ne sait pas ce que c'est au juste. Est-ce que le vieil homme est ici?

— Oui, il est au jardin. Je vous y accompagne?

— Merci. Je connais le chemin.

A l'entrée de la roseraie, sur le sable d'une allée, John trouva une magnifique rose d'une blancheur resplendissante. Il se pencha pour la ramasser. C'était un spécimen d'Etoile Polaire. John n'en avait pas vu de pareille dans toute la roseraie. En s'avançant, il découvrit qu'elle venait d'un rosier dont il n'avait jamais remarqué l'existence et qui poussait non loin du rosier malade.

Alors John pensa que ce rosier avait disparu, ce qui ne manqua pas de l'étonner, puis il comprit que ce n'était pas le cas. Car cet arbuste florissant, couvert de roses blanches, c'était le rosier rabougri qui, quelques semaines plus tôt, désolait tant le millionnaire.

Ainsi donc, le millionnaire était parvenu à le guérir! John se rappela les paroles que lui avait dites le millionnaire: «Chaque fois que je vois ce rosier, je pense à toi, je ne suis revenu que pour le soigner.»

Et il éprouva une grande émotion. N'avait-il pas lui aussi connu une mystérieuse et belle guérison spirituelle, pendant les longs mois d'épreuves qu'il avait traversés? Empli de cette émotion, il se dépêcha de pousser sur les roues de son fauteuil.

Il trouva le vieil homme au centre de la roseraie, penché sur un rosier qu'il taillait amoureusement, vêtu d'une manière qu'il ne lui connaissait pas. Il portait en effet une tunique blanche et des sandales noires.

Cela lui conférait un air très noble, majestueux, malgré la simplicité très grande de cette tunique, qu'une modeste corde serrait à la taille. Au moment de l'appeler, John se retint et décida plutôt de tenter de lui jouer un petit tour.

La dernière fois qu'il l'avait rencontré, il avait été frustré dans ses efforts pour faire tourner la mystérieuse sphère métallique.

Mais il sentait que depuis, il avait fait des progrès considérables au chapitre de la concentration. Aussi eut-il envie de tenter sa chance. Il se concentra sur la sphère, de toutes ses forces. Les premières secondes, il ne se passa rien. Puis subitement, la sphère bougea.

John éprouva des frissons. Avait-il à ce point fait des progrès? Pouvait-il animer la sphère à distance, comme le faisait si aisément le millionnaire? A moins que ce ne fût le vent? Mais la sphère s'immobilisa au bout de quelques secondes à peine, laissant John perplexe quant à sa capacité à la mouvoir à distance. Il s'appliqua à nouveau. Son élan de joie, son orgueil l'avaient distrait et sa concentration s'était relâchée.

Au bout de quelques secondes, la sphère tourna à nouveau, plus vite même, et se mit à émettre le mystérieux son qui lui était caractéristique.

Le millionnaire releva la tête, intrigué, et observa les arbres pour voir si le vent ne s'était pas levé. Mais seule une brise très faible soufflait, de toute évidence insuffisante pour faire tourner ainsi la sphère. Le jeune homme cessa de se concentrer, la sphère s'immobilisa, et le millionnaire se replongea dans ses travaux d'horticulture.

John s'y reprit, se concentrant cette fois-ci avec le plus d'intensité possible. Obéissant à sa volonté, la sphère se remit à tourner, et commença à prendre de la vitesse. La singulière musique s'éleva et attira, comme les fois précédentes, un mariage d'oiseaux. Les cygnes de l'étang ne restèrent pas eux non plus indifférents et s'approchèrent de la sphère, formant un cercle parfait.

Certains oiseaux vinrent même se poser sur les épaules de John, ce qui ne manqua pas de le surprendre. Quel charme avait-il donc développé, pendant sa réclusion, pour pouvoir non seulement faire tourner une sphère, mais attirer ainsi à lui des oiseaux, comme saint Francois d'Assise? Le pouvoir de la concentration était-il si grand, si mystérieux?

A nouveau distrait par la musique de la sphère, le millionnaire interrompit la taille du rosier, comprit bientôt qu'il ne s'agissait pas du vent, tourna la tête, et aperçut John.

— Alors tu es enfin venu, dit-il avec un large sourire comme si sa présence ne l'étonnait pas outre mesure, et que même il l'avait prévue.

— Oui, dit John, qui cessa du même coup de se concentrer, laissant la sphère ralentir, et les oiseaux se disperser.

— Je vois que tu as fait des progrès considérables, dit le millionnaire en se tournant vers la sphère qui cessait tout doucement de tourner.

— Oui, dit John, mais par contre le secret que vous m'avez donné pour atteindre le succès ne fonctionne pas. Je m'étais fixé un objectif de deux cent cinquante mille...

— Et puis?

— J'ai gagné quatre cent mille.

— Rien n'est parfait, dit en souriant le vieil homme.

— En effet, dit John en désignant son fauteuil. Et puis... J'aurais aimé que vous soyez là dans les moments les plus difficiles.

— J'étais là, tout le temps, à côté de toi. Et parfois même je te portais sur mes épaules, lorsque tes forces t'abandonnaient. Mais tes yeux n'étaient pas ouverts. Et tu ne me voyais pas.

Cette réplique émut John. Mais ce que dit ensuite le millionnaire ne manqua pas de le surprendre et de l'intriguer:

— D'ailleurs, je t'ai aidé plus que tu ne crois, car si tu n'avais pas passé plusieurs mois dans ce fauteuil roulant, tu n'aurais pas atteint le succès avant plusieurs années. Et si tu es dans ce fauteuil roulant, c'est à cause du vin que je t'ai donné à boire lors de notre dernière rencontre...

— C'est à cause de vous, mon infirmité... Ou en tout cas cette maladie? demanda non sans colère John qui saisit les deux bras de son fauteuil comme pour bondir sur le millionnaire.

Il était vraiment furieux. Comment? Quel manque total de scrupules! Quelle folie que de jouer ainsi avec sa santé et de le condamner à l'infirmité peut-être pour toute sa vie...

— Tu m'as assuré que tu étais prêt à payer le prix pour atteindre tes objectifs. Je t'ai posé plusieurs fois la question.

— Mais je ne savais pas que cette infirmité serait le prix, sinon je n'aurais jamais accepté! Maintenant je suis condamné à passer ma vie dans ce fauteuil!

— Il fallait que les jambes de ton corps meurent, au moins pour un temps, pour que celles de ton esprit se mettent à vivre. Tu vois maintenant tu peux faire tourner la sphère, alors que tu en étais incapable. Alors je t'ai aidé à atteindre ton but. Pourquoi cette colère?

— Je ne veux pas passer le reste de mes jours dans ce fauteuil! Les médecins me condamnent...

— Que viennent faire les médecins dans cette histoire? Ce qui compte, ce n'est pas ce qu'ils disent, c'est ton esprit. Ton esprit seul. As-tu déjà oublié ce que je t'ai dit? Que la foi peut soulever des montagnes? Si tu crois que tu peux te lever de ce fauteuil, et marcher, si tu le crois vraiment, tu le pourras. Et personne au monde ne pourra t'en empêcher.

— Si vous croyez que je n'ai pas essayé, des dizaines, des centaines de fois. Tiens, si vous voulez vous moquer de moi, regardez...

Il tenta alors de se lever, déployant toutes ses forces, toute sa concentration, mais il n'y parvint pas, et le front mouillé de sueur, le visage empourpré par l'effort, il se laissa tomber dans son fauteuil, la tête basse, un sourire de dépit accroché aux lèvres.

— Vous voyez?

— Non, je ne vois rien. Tu me fais penser à ces gens qui sont tellement convaincus intérieurement qu'ils ne peuvent pas réussir qu'ils font tout pour connaître l'échec puis se vantent qu'ils avaient raison, parce qu'ils ont échoué.

— Le succès est une chose, l'infirmité en est une autre.

— Pourquoi restes-tu assis dans ce fauteuil? lui demanda d'une voix très forte le millionnaire.

Une voix plus qu'énergique à la vérité, la voix d'un homme en colère, ou sur le point de l'être.

— Parce que je suis paralysé des jambes.

— Qui est paralysé? lui demanda avec une logique curieuse le millionnaire, toujours égal à lui-même dans l'application de sa singulière maïeutique.

— Mais c'est moi! Vous vous payez ma tête? Vous ne me reconnaissez pas?

— Qui est-ce, toi?

— Moi, mais c'est moi, dit John qui ne voyait vraiment pas où il voulait en venir.

— Tu n'es pas en fauteuil roulant. Pas ton moi véritable. Tu es esprit. Tu n'es pas le corps. Le corps n'est qu'une illusion. Ton vrai moi est tout puissant et immortel. Aussi je te le dis, si tu as la foi, si tu comprends ce que je viens de te dire, lève-toi et marche.

John se sentit traversé de frissons étranges. Les paroles du millionnaire n'étaient plus de simples ordres, elles étaient comme de puissantes vagues d'énergie qui entraient en lui, le galvanisaient, lui donnaient des frissons dans tout le corps. Jamais il n'avait vécu une telle expérience.

Il poussa de toutes ses forces sur les bras de sa chaise, tendit les jambes, déploya le plus grand effort de volonté possible. Il réussit à se soulever, mais au dernier moment, sa foi défaillit, et après s'être tenu debout quelques secondes, il s'effondra à nouveau dans sa chaise, la tête basse, honteux, les larmes baignant son visage. Il avait vraiment le sentiment qu'il passerait le reste de ses jours dans ce fauteuil.

Alors le millionnaire entra dans un état étrange. Il leva les yeux vers le ciel, comme s'il implorait quelque puissance supérieure, éleva également le bras droit, et se mit à murmurer un son mystérieux, d'abord doucement, puis de manière de plus en plus forte.

C'était un mantra très ancien, qu'il ne chantait qu'en de très rares occasions, et qui possédait des vertus surprenantes. Il était composé de deux syllabes, la première, «I», tout simplement, un «I» qu'il prolongeait au moins cinq ou six secondes, et qu'il modulait d'une voix métallique et nasillarde, suivie de la deuxième syllabe «U» qu'il prononçait comme «Ou». Donc I-U... I-OU.

Le vent se leva, les nuages semblèrent se déchaîner comme à l'approche d'une tempête. La sphère métallique commença à tourner, à émettre sa musique, et les oiseaux affluèrent, tournant non seulement autour de la sphère, mais au-dessus du millionnaire. Parfois, cessant de tournoyer autour de lui, ils s'élançaient vers le ciel, paraissant suivre le chemin que son index tendu indiquait. Puis ils plongeaient dans sa direction, en un ballet étrange et fascinant. Bientôt des éclairs déchirèrent le ciel, le tonnerre retentit.

John ne savait comment réagir, ni surtout ce qui pouvait se passer. Il était simplement terrorisé. Mais il le fut bien davantage lorsque, contre toute attente, le lion Horus fit irruption dans une des allées du jardin. En le voyant, le lion s'immobilisa d'abord, puis fondit sur lui comme sur une proie, visiblement déchaîné. Il ne ferait pas de quartier.

John, qui pour un instant ne fonctionnait plus avec le filtre de son mental, mais était pur instinct, devenant pour ainsi dire zen sans le savoir, oubliant qu'il était paralysé depuis des mois, parvint d'un seul coup à se lever et à prendre la fuite. Là où la foi avait failli, la peur avait réussi. Sa fuite ne fut pas longue car le millionnaire aussitôt baissa les bras et cessa de chanter sa mystérieuse incantation pour rappeler Horus qui vint se coucher docilement à ses pieds.

Le vent était tombé d'un seul coup, les nuages s'étaient immobilisés et les oiseaux retournèrent d'où ils étaient venus, cependant que la sphère s'arrêtait.

John se retourna, vit que le lion ne le poursuivait plus mais qu'il acceptait les caresses affectueuses de son maître. Alors seulement il réalisa qu'il était debout et qu'il marchait. Toute trace de son infirmité avait disparu. Il n'en revenait pas. Il était guéri! Que s'était-il passé? Un autre miracle? Comprendrait-il un jour la puissance mystérieuse dont était doté son mentor?

Il s'approcha du millionnaire, guettant constamment le lion pour s'assurer que nul velléité maligne ne s'emparât à nouveau de lui.

— Qu'est-ce qui s'est passé? demanda-t-il, les yeux emplis de larmes de reconnaissance, car il avait le sentiment, sinon la certitude, que tout était arrivé par la puissante volonté du millionnaire.

— Ta maladie n'était plus nécessaire. Elle t'a été donnée comme une grâce, pour que tu te développes mentalement plus rapidement. Autrement il t'aurait fallu des années, peut-être même plusieurs vies pour arriver au même point. Je te l'ai dit, l'âme ne mesure pas le temps comme les hommes ordinaires. N'étant plus nécessaire, ta paralysie a disparu. Il en va de même de toutes les souffrances et de toutes les calamités qui te sont envoyées par miséricorde pour t'aider à te développer et à retrouver ta véritable identité, à retrouver la véritable force qui est en toi et que le bonheur ordinaire t'empêche de trouver, parce qu'il t'endort, ou plutôt parce qu'il te laisse dormir...

Il est heureux celui qui est éprouvé, c'est que ceux qui s'occupent de lui veulent qu'il progresse rapidement... Mais lorsque tu retrouves ta véritable identité, le malheur n'est plus nécessaire... Non seulement n'est-il plus nécessaire, mais il n'est plus possible... Il n'y a plus de place que pour le bonheur, la joie retrouvée... Car celui en toi qui pouvait être malheureux a été tué par le malheur, et il n'existe plus...

Le millionnaire se pencha vers Horus, le flatta avec amour puis lui fit signe de se retirer.

Alors le jeune homme se mit à pleurer. Une émotion extraordinaire l'envahissait. Une reconnaissance démesurée, plus grande que ce qu'il avait jamais éprouvé l'emplissait. Parce qu'il comprenait maintenant que tout ce qui lui était arrivé était dû à la volonté et la bonté de son mentor. Et dire qu'il lui avait adressé de stupides reproches, qu'il était prêt quelques minutes avant à le renier!

Empli d'un amour immense, il se précipita vers le vieil homme et prit à ses pieds la place que Horus venait de quitter. Il s'agenouilla, toucha sa robe, et sentit une grande paix l'envahir. Le millionnaire caressa ses cheveux, comme il avait caressé le lion.

Les deux se tinrent un instant ainsi, dans un moment solennel, plein d'une paix et d'un amour indicibles. Puis le millionnaire rompit ce silence magique pour dire:

— Relève-toi. Je dois partir maintenant.

— Déjà? demanda John avec un affolement dont il fut le premier surpris, comme si le millionnaire venait de lui annoncer la pire des nouvelles.

Il s'était levé, obéissant au millionnaire qui prit quelques secondes pour répondre, le regardant d'abord avec une grande affection, comme un père regarde son fils.

— Ce que j'avais à faire ici est fait. Il ne faut pas s'attarder lorsque notre travail est accompli. Je pars rejoindre mes frères.

— Mais... bredouilla le jeune homme submergé par une grande tristesse qui mouillait ses yeux. Est-ce que nous pourrons nous revoir un jour?

— Qui sait, dit le millionnaire...

— Je... Je ne peux pas vous suivre? Partir avec vous?

— Non. Tu n'es pas prêt. Et il y a des choses que tu dois accomplir ici. On ne doit jamais partir avant d'avoir tout réglé derrière soi, sinon l'on doit revenir, lui expliqua le vieil homme.

— Mais je... Je n'ai plus rien à faire ici...

— Tu crois vraiment? N'y a-t-il pas des choses qui ne sont pas réglées? Avec une femme, par exemple?

John pensa à Rachel, évidemment. Il n'avait jamais parlé d'elle au millionnaire. Comment donc était-il au courant de son existence? Un autre mystère qu'il n'aurait pas le temps d'éclaircir.

A ce moment, Edgar, le chauffeur, arriva avec une grosse boîte emballée dans un papier rouge très voyant et un ruban d'or.

— La limousine est prête, monsieur, dit Edgar en saluant le millionnaire puis John.

— Ah! c'est bien, tu as apporté le cadeau.

Il se tourna vers John et dit:

— Je veux t'offrir ce cadeau. Mais à une seule condition.

— Laquelle?

— Que tu ne l'ouvres pas par simple curiosité ou parce que je te l'ai offert, mais seulement quand tu en ressentiras vraiment le besoin.

— Je... J'accepte évidemment.

— J'espère que tu ne le jetteras pas dans la rivière, comme l'autre.

John devint cramoisi. Comment son mentor avait-il pu deviner le geste de dépit qui, quelques mois auparavant, l'avait poussé à jeter le vieux coffret dans East River?

Il n'eut pas le temps de le lui demander car le millionnaire fit un signe de la tête vers Edgar qui remit le cadeau à John. Bien sûr, son premier réflexe fut de commencer à le déballer, mécaniquement, mais il se rappela ce que venait tout juste de lui dire le millionnaire et honteux, il le regarda en souriant, replaçant la boucle qu'il avait commencé à dénouer.

Le vieil homme lui retourna son sourire.

— Je... Je ne sais pas si un jour, je vais pouvoir vous exprimer toute ma reconnaissance pour ce que vous m'avez enseigné... Je... Comment puis-je vous remercier? Je sais que je n'ai pas grand chose en comparaison de votre fortune... Mais demandez-moi n'importe quoi...

— N'importe quoi? lui demanda le millionnaire.

Le jeune homme eut peur un instant. Lui demanderait-il de boire une nouvelle coupe de vin qui le paralyserait pendant des mois ou quelque autre truc du genre?

— Oui, dit-il timidement, non sans un restant de crainte.

— Alors je veux ta cravate, dit le millionnaire.

— Ma cravate? dit le jeune homme qui tout de suite, instinctivement porta la main à sa cravate, dans un geste de protection. Mais... Je... Je ne vois pas ce que...

— Tu m'as dit que je pouvais te demander n'importe quoi.

— Oui, mais cette cravate est très spéciale pour moi...

— Pourquoi crois-tu que je te l'ai demandée?

— C'est... C'est une cravate que m'a donnée mon père et j'y attache une grande valeur sentimentale... Je peux vous en acheter une identique... Demandez-moi n'importe quoi, dit le jeune homme, désolé, mais pas cela.

— Je comprends, dit le millionnaire. Je t'ai trop demandé. Séparons-nous maintenant.

— Je... Non, attendez... je...

Les larmes aux yeux, il dénoua la précieuse cravate de son père, dont il ne se défaisait jamais, et il la tendit au millionnaire qui l'accepta avec un sourire bienveillant.

Au moment même où John se séparait de sa cravate, il sentit un grand calme, une légèreté nouvelle descendre sur lui. On aurait dit que toute la douleur, toute la tristesse, qui était liée à la mort de son père s'était évanouie d'un seul coup, par enchantement. Il se sentait libre, libéré, pour mieux dire, et soulagé d'un fardeau invisible qui lui pesait depuis des mois.

Le millionnaire, on aurait dit, avait compris ce qui se passait en lui, et son sourire s'élargissait cependant qu'il nouait la cravate à son cou. Avec sa tunique blanche, cela lui faisait un accoutrement plutôt bizarre!

— De quoi ai-je l'air? demanda-t-il à John lorsqu'il eut terminé le noeud de la cravate.

John ne put contenir son hilarité. En fait il fut gagné d'un fou rire homérique. Le millionnaire aussi se mit à rire, et le chauffeur après un instant d'hésitation, malgré tout le respect qu'il devait à son patron, se joignit à leur hilarité. Leur crise de fou rire sembla durer une éternité. Lorsqu'elle s'apaisa enfin, le millionnaire dit:

— Je pense que je vais porter cette cravate plus souvent. Elle fait vraiment beaucoup d'effet sur les gens. Maintenant, dit-il sans transition, il faut que tu partes.

— Tout de suite?

— Oui, tu n'as pas une minute à perdre. Tu dois voir cette femme très rapidement. Les astres sont dans une conjoncture qui ne se représentera plus avant longtemps. Si tu ne la vois pas dans les heures qui suivent, tu la perdras pour neuf ans. Va. Et ne te fie pas aux apparences. N'écoute que la voix de ton cœur.

Emu, John posa le cadeau et se jeta dans les bras de son

mentor qu'il étreignit longuement. Comment pourrait-il un jour lui exprimer toute sa reconnaissance? Il n'eut pas le temps de le lui demander, car le millionnaire le repoussa et dit simplement:

— Va, maintenant. Il ne te reste plus beaucoup de temps.

John partit, le cœur gros mais aussi anxieux à l'idée de revoir Rachel, qu'il avait cru être la femme de sa vie, et qui était maintenant liée à un autre homme. Que lui dirait-il?

La vérité, simplement la vérité. Parce qu'il fallait au moins qu'elle sache ce qui s'était vraiment passé. Qu'il ne l'avait pas quittée parce qu'il ne l'aimait pas mais parce qu'il n'avait pas voulu lui imposer le mariage avec un homme paralysé. Il ne put s'empêcher de se dire que, malgré ses succès professionnels, la vie n'était pas parfaite, loin de là.

Maintenant, il n'était plus paralysé et il était riche, ou en tout cas à l'abri du besoin pour plusieurs années. Mais Rachel, elle, n'était plus libre.

Mais il avait pour ainsi dire promis au millionnaire qu'il la verrait. Cela, semblait-il, était de la plus haute importance. Alors il la verrait même si cette perspective lui déchirait le cœur.

CHAPITRE 28

Où le jeune homme découvre la noblesse de l'amour

Dans son appartement, dans lequel elle avait insisté pour habiter jusqu'au dernier moment, Rachel achevait de se préparer pour la cérémonie de son mariage. Elle portait une très belle robe blanche, conçue spécialement pour la circonstance, car elle était enceinte de plus de huit mois. Louis Renault, son fiancé, avait insisté pour que le mariage eût lieu avant l'accouchement.

Devant son miroir, surveillant du coin de l'oeil les enfants de la «bande des quatres» — Jennifer lui servirait de bouquetière et le petit Mexicain de garçon d'honneur —, Rachel ajustait son voile.

Pour une femme qui allait se marier dans quelques heures à peine, elle ne débordait pas de joie. En tout cas elle avait l'air un peu nostalgique. Etait-ce la fatigue d'une première grossesse? Ou la musique qui jouait, le disque *Unforgettable*, qui lui rappelait des souvenirs qu'elle avait tenté de chasser de son esprit?

Dans leur excitation, les enfants entraient et sortaient de l'appartement, courant dans les corridors, malgré les remontrances peu convaincantes de Rachel. Aussi, lorsque John arriva, il n'eut même pas à sonner, ni même à frapper à la porte, qui était ouverte. En apercevant Rachel, qui était toujours devant son miroir, ce fut pour lui un choc. Rachel allait se marier, c'était indubitable. Et en plus, de toute évidence, elle était enceinte.

Il se demanda tout de suite ce qu'il faisait là, et pourquoi le vieux millionnaire l'avait pressé d'aller voir Rachel. Mieux valait tourner les talons sans même parler à Rachel. D'ailleurs, que pourrait-il lui dire? La vérité... Oui, il aurait aimé au moins lui dire la vérité, les raisons de sa décision de rompre... Mais cette révélation était-elle appropriée le jour de son mariage? N'était-ce pas terriblement pas égoïste?

Il fut surpris également d'entendre *Unforgettable*. Pourquoi écoutait-elle cette musique? Etait-ce un simple hasard ou un signe qu'elle était nostalgique et pensait encore à leur amour? Il n'eut pas le loisir d'entendre très longtemps la musique sentimentale de Nat King Cole car lorsque Rachel se tourna pour ramener les enfants à l'ordre, et qu'elle aperçut John, son premier réflexe fut de se précipiter pour retirer le disque.

Ils restèrent un moment à se regarder, silencieux, submergés par l'émotion. Jamais de sa vie John n'avait pensé devoir assister à une scène aussi douloureuse. Celle que, malgré les événements, il considérait encore comme la femme de sa vie allait se marier, enceinte d'un autre homme... La femme qu'il avait perdue parce qu'il n'avait pas voulu lui imposer un compagnon infirme... Et le plus bête, le plus ironique, c'est que maintenant il était en parfaite santé et fortuné!

Mais il fallait croire que tout avait un prix... Que s'il n'avait pas autant souffert de sa rupture avec Rachel, il n'aurait pu trouver en lui la sensibilité qui lui avait permis d'écrire un scénario vraiment touchant... La souffrance lui avait ouvert le cœur et lui avait permis d'accoucher de son talent...

Mais en échange, il avait perdu la femme qu'il aimait... Etait-ce cela que le millionnaire avait voulu lui apprendre en lui suggérant d'aller retrouver Rachel, alors qu'il était trop tard? Pourquoi cette nouvelle torture, cette nouvelle humiliation, ce nouvel arrachement de la voir partir définitivement vers un autre homme?

— John? ne put s'empêcher de dire Rachel en le voyant.

Les enfants parurent surpris eux aussi de revoir John qui avait disparu de la circulation depuis des mois.

— Tu ne te maries pas avec Louis? demanda Jennifer.

— Les enfants, allez attendre dans le corridor, ordonna Rachel.

Malgré leur jeune âge, ils comprirent la gravité de la situation et se retirèrent docilement.

Rachel se taisait. Elle ne savait pas quoi dire. Elle aurait aimé bien sûr dire à John qu'elle l'avait follement aimé, et que peut-être même elle l'aimait toujours. Mais il l'avait quittée. Et d'ailleurs il ne lui avait pas donné signe de vie depuis plusieurs mois. Il n'avait jamais rien tenté pour la reconquérir.

Alors elle s'était cru abandonnée. Et dans son désespoir, elle avait posé des gestes, elle avait accueilli l'amitié indéfectible de Louis Renault, qui l'avait consolée pendant des mois de sa détresse, qui était prêt à tout lui offrir, à oublier qu'il était son second choix.

Louis n'avait jamais démérité, il s'était toujours montré noble, magnanime. John ne pouvait certes pas en dire autant, lui qui l'avait abandonnée après l'avoir séduite.

A cette pensée, elle se durcit, et son émotion de revoir John se dissipa, ou plutôt se transforma peu à peu. Sur la défensive, elle attendit.

— Je... je ne savais pas que tu... commença John.

Il n'osait pas dire les mots fatals, les mots douloureux, les mots qui le déchiraient: qu'elle se mariait, oui, qu'elle se mariait, et qu'elle était enceinte...

— Oui, dans une heure... se contenta-t-elle de répondre.

Et elle porta la main droite à son ventre, comme si elle était atteinte d'une douleur.

— Je... je voulais, dit John, je voulais simplement te revoir une dernière fois, pour te dire que... Que si je t'ai quittée, ce n'est pas parce que... parce que je ne t'aimais pas... J'avais une maladie que je croyais incurable... J'étais paralysé... Et je n'ai pas voulu t'imposer un mari infirme...

Un mari infirme... Il avait donc voulu l'épouser, il ne l'avait pas quittée pour se débarrasser d'elle comme d'une maîtresse devenue encombrante. Elle comprenait maintenant l'étendue de l'horrible malentendu qui les avait séparés.

Il n'avait été animé que d'un noble motif à son endroit. Elle eut un vertige et ses yeux devinrent humides. Mais il était trop tard. La vie en avait décidé autrement de leur destin. Il fallait boire le vin jusqu'à la lie.

Un instant, elle douta. John disait-il la vérité? Elle le regarda droit dans les yeux. Et elle vit qu'il ne mentait pas, qu'il était bouleversé, et qu'il souffrait atrocement.

Comme elle était belle dans sa robe de mariée! Plus belle qu'elle n'avait jamais été, avec la blondeur de ses cheveux qui se mêlait à son voile. Et ses yeux qui n'avaient jamais été aussi verts, aussi lumineux. Mieux valait que John ne restât pas plus longtemps. Sinon, il allait mourir de chagrin.

— Bon, je... je ne vais pas rester plus longtemps, je... Je souhaite seulement que tu sois heureuse...

Elle avait envie de lui dire qu'elle l'aimait encore, qu'elle pensait encore à lui tous les jours. Mais il ne le fallait pas. Il fallait qu'elle soit plus forte, qu'elle résiste à cette tentation.

John eut envie de s'approcher d'elle pour l'embrasser une dernière fois, persuadé qu'il ne la reverrait jamais. Mais il en fut incapable. La robe de mariée, la grossesse... Autant d'empêchements, autant d'obstacles...

Il tourna les talons, la tête basse, et eut la surprise de voir paraître, à l'entrée, Louis Renault, qui était accompagné de Gloria, son ancienne fiancée. Malgré sa déception de le voir épouser une autre femme, son amitié pour lui avait été plus forte que l'amour et, comme elle était sa meilleure amie, elle avait accepté de lui servir de témoin.

Louis Renault fut on ne peut plus surpris de voir John le jour de son mariage. Que faisait-il là? A ce qu'il sût, il n'avait pas été invité.

Inutile de dire le malaise de John et du futur marié. Gloria pour sa part ne connaissait pas John, ni toute l'histoire qu'il avait eue avec Rachel, et Louis, en homme orgueilleux, ne s'était pas empressé de la publiciser, même auprès de sa meilleure amie...

Extrêmement élégante dans une robe claire, coiffée d'un grand chapeau blanc, elle sourit à John qu'elle prit pour un invité avant de s'étonner de la sobriété de sa tenue qui ne convenait pas tout à fait à un mariage.

Mais une conversation n'eut pas le temps de s'ébaucher, ni les présentations de se faire, car l'émotion de Rachel fut tellement grande qu'elle fut prise d'un étourdissement, qu'elle dut s'asseoir et porta à nouveau la main à son ventre protubérant. Ses contractions débutaient.

— Je vais accoucher, dit-elle d'une voix alarmée, il faut que je me rende à l'hôpital...

Louis Renault se précipita vers elle, l'aida à se lever, la supporta en descendant les escaliers. Les quatre enfants ne purent évidemment pas les accompagner.

— Il n'y a plus de mariage, lança l'un d'eux.

— Non, il faut croire.

Heureusement, Louis Renault, dont la présence d'esprit et le sens pratique étaient remarquables, leur jeta au passage un billet de vingt dollars, et leur conseilla d'aller manger une pizza, consolation sympathique. Le distingué avocat, on s'en souviendra, conduisait une *Mercedes* deux places, si bien que Gloria ne put monter avec lui.

— Vous m'emmenez? demanda-t-elle à John.

Il ne pensait pas devoir subir l'épreuve de la cérémonie de mariage, et encore moins celle de l'accouchement de la femme qu'il aimait éperdument. Mais dans les circonstances, comment refuser? Il fit donc monter Gloria dans sa *Mustang*, à l'arrière de laquelle se trouvait le présent du millionnaire que Gloria prit pour un cadeau de mariage.

John suivit la Mercedes qui roulait à toute vitesse en direction de l'hôpital, n'hésitant pas à l'occasion à brûler les feux rouges du moins lorsque cela ne présentait aucun danger.

— Vous êtes un membre de la famille? demanda Gloria à John.

— Un ami, dit-il, traumatisé par tout ce qui se passait.

Le vieux millionnaire avait-il prévu ce qu'il lui ferait vivre en le pressant d'aller retrouver Rachel?

Dans la *Mercedes*, Rachel devait déployer tous les efforts du monde pour ne pas accoucher tout de suite. Elle se serrait les jambes. Elle sentait qu'autrement l'enfant naîtrait sur la banquette. Elle s'étonnait de la facilité avec laquelle les choses se passaient. Peut-être était-ce parce que l'accouchement se faisait de manière prématurée. L'enfant était moins gros, et puis il semblait vraiment pressé de faire son entrée dans ce monde de fous.

— Il veut sortir! criait-elle. Il veut sortir! Dépêche-toi, Louis!

— On arrive, on arrive, tiens bon, criait son fiancé, ne sachant trop les dangers que pouvait représenter un accouchement dans une voiture.

Rachel ignorait encore si c'était une garçon ou une fille. Malgré les échographies qu'elle avait subies en cours de grossesse, elle avait préféré garder le suspense jusqu'à la fin, comme un bon romancier. Ils arrivèrent quelques minutes plus tard à l'hôpital.

Dans le département d'obstétrique on ne manqua pas de trouver curieuse cette femme qui venait accoucher, vêtue de sa robe de mariée, et il y eut un instant de confusion. Mais l'urgence de la situation fit qu'on ne se posa pas trop de questions et qu'on ne prit même pas la peine de lui retirer sa robe.

Dans la cohue, Gloria, John et Louis Renault avaient tous les trois suivi Rachel dans la salle d'accouchement. Mais John, intimidé, se tenait légèrement en retrait.

Comme le temps pressait, les infirmières ne firent que soulever Rachel, lui ôtèrent ses sous-vêtements et le médecin s'était à peine penché vers elle que déjà la tête de l'enfant lui apparaissait.

Au moment où les épaules du rejeton passaient, Rachel éprouva une violente douleur (on ne lui avait administré ni épidurale ni calmant), et elle cria spontanément:

— John!

Ni le médecin ni les infirmières ne s'en formalisèrent, et personne ne se plaignit d'un accouchement qui se passa en moins de trois minutes, une sorte de record. Décidément pour un premier enfant, cette femme accouchait comme une véritable chatte.

— C'est une petite fille, déclara le médecin qui avait soulevé le rejeton à qui il administra deux ou trois petites tapes sur les fesses pour provoquer ses pleurs, qui ne tardèrent pas. Dès que le nouveau-né pleura, une infirmière remit au médecin une paire de ciseaux et ce dernier se tourna vers Louis, qu'il prenait évidemment pour le père, vu le smoking qu'il portait:

— Est-ce que le père veut couper le cordon ombilical? demanda-t-il.

Alors tout se passa très vite dans l'esprit de Louis, qui était avant tout un homme de cœur. Il pensa au cri spontané de sa future femme. Il comprit que ce cri, c'était un cri du cœur, et que si Rachel avait vraiment oublié John, ce n'eût pas été son nom qu'elle eût crié, mais le sien, Louis.

Et il comprit qu'elle ne serait jamais heureuse avec lui, et que s'il l'aimait vraiment comme il le lui avait tant de fois proclamé, il la laisserait aller, il la rendrait à John. En tout cas, il ne s'opposerait pas à leur réunion, même s'il se ridiculisait, même s'il perdait la face, le jour de son mariage. N'y avait-il pas dans la vie des choses plus importantes que l'orgueil, que l'image?

Il regarda Rachel qui lui sourit, embarrassée. Car elle avait été consciente du cri qu'elle venait de pousser, le nom de John qui lui avait échappé comme un secret trop longtemps gardé. Elle était consciente qu'elle venait de se trahir, qu'elle venait de le trahir, lui aussi, cet homme si bon.

Mais il n'y avait aucune condamnation, aucun reproche dans les yeux de Louis Renault, il n'y avait que de la compréhension, de la compassion, avec peut-être il est vrai un peu de tristesse, mais légère, car un grand élan d'amour, d'un amour plus grand que lui, venait de monter dans son âme. Et avant même que Rachel n'eût prononcé un mot, il lui avait déjà pardonné.

Alors il prit les ciseaux que le médecin lui avait tendus et créa une nouvelle commotion dans l'hôpital en les remettant à John, qui tout d'abord ne comprit pas. Etait-ce de la cruauté, du sadisme? Pourquoi lui remettre les ciseaux?

Gloria elle, parce qu'elle était plus âgée que John et parce qu'elle était une femme, comprit plus vite ce que ce geste signifiait et elle s'empressa de regarder Louis. Cet aveu le déchirait-il? Elle avait entendu elle aussi le cri involontaire de Rachel, ce nom lancé dans la douleur, et qui avait dû être porteur de douleur lui aussi, et qui avait dû froisser irrémédiablement le cœur de Louis.

Mais dans les yeux de Louis, elle ne vit pas la douleur qu'elle attendait, elle vit seulement qu'il avait du regret. Il regrettait sa folie d'avoir aimé une femme si jeune, dont il aurait pu être le père. Il regrettait d'avoir repoussé son amour à elle, Gloria, parce qu'elle ne pouvait plus lui donner d'enfant. Il lui demandait pardon. Et dans ses yeux bleus, Louis vit qu'elle comprenait ce qu'il lui demandait. Et il vit qu'elle le pardonnait, et qu'elle le reprenait.

John regarda Rachel dans les yeux, et il comprit tout. Alors il accepta de prendre les ciseaux et coupa le cordon. Le docteur, éberlué, mais ne cherchant pas à comprendre cette famille de fous, prit le bébé délivré de son attache et le mit dans les bras radieux de sa mère.

Gloria s'avança vers Louis Renault qui spontanément lui prit la main. Ils échangèrent un regard qui confirma leur réconciliation. Et le noble avocat prononça les paroles qui paraissaient sceller le destin de Rachel et de John:

— Je crois que c'est le commencement d'une très belle famille.

POSTFACE

Pendant les quatre années qui suivirent, John parvint à vendre deux nouveaux scénarios dont les films connurent beaucoup de succès en salle. Puis, le succès appelant le succès, il signa un contrat pour ses cinq prochains scénarios, contrat qui fit de lui un véritable millionnaire.

Pendant neuf ans, Rachel et lui élevèrent dans un bonheur paisible leur fille Gabrielle. Ce ne fut qu'à la fin de la huitième année que s'empara de John une envie irrésistible d'ouvrir le mystérieux cadeau que lui avait offert le millionnaire.

1 er avril 1992 - 13 mars 1993,
dans la maison d'Hashgie.